民法総則

[第2版]

原田昌和・寺川 永・吉永一行

[著]

日評ベーシック・シリーズ

日本評論社

第2版はしがき

　本書の初版を公刊してから4年が経過した。幸いにも多くの読者に恵まれ、増刷を重ね、3年前には成年年齢を20歳から18歳に引き下げる等の民法改正（平成30年法律第59号）を機に補訂版を刊行することができた。この改正の施行日が2022年4月1日に迫り、この間、相続分野の民法改正（平成30年法律第72号）や、所有者不明土地等への対応に関わる民法改正（令和3年法律第24号。令和5年4月1日施行）が行われたことを契機に、記述や図表の見直しを行ない、本書第2版を刊行することとした。もっとも、本書のコンセプトや工夫は、初版と変わっていない。初版はしがきの一部を以下に引用しておく。

$$* \qquad\qquad * \qquad\qquad *$$

　その企画は、大多数の法学部生が必ずしも法曹を目指すわけではないことを前提に、法学部を卒業したというなら最低限ここまでは理解しておいてほしいというところまで、記述内容をある程度絞って、判例・通説を基準として、読み物のように、語りかけていくような、そんな教科書を書いてほしい、というものであった。たしかに、私（原田）が法学部に入学したころと違って、最近では、初学者向けの民法の教科書が多数出されているが、その中には、記述の正確性を重視するあまり、判例や体系書の記述を引用して叙述が難しくなったり、一冊ですべてを賄おうとするあまり、記述項目が絞り切れないなどのために、とりわけ初学者には、難解に感じるものが少なくないようである。

　日本評論社からの企画を承諾した私は、上記のような企画趣旨に賛同し、ともにそれを遂行できる仲間を探す作業に取り掛かった。たとえば、教科書というものは、たとえ初学者向けであっても、ある程度の重厚さと内容の網羅性を備えていなければいけないと考える方とでは、この企画を成功に導くことはできないからである。実は、仲間を探す作業にはそれほど困難はなかった。楽しく仕事のできる同年代の研究者で、いわゆる中堅校の法学部で、学生への教え

方に日々工夫を凝らしている教員として、私の頭にはすぐに、大学院時代から懇意にしている吉永一行教授（京都産業大学〔現東北大学〕）と、以前別の仕事でご一緒させていただいた寺川永教授（関西大学）のお二人の名前が浮かんだからである。……

　それから約３年半、ほぼ半年ごとに、午前中から18時ころまでに及ぶ会合で、ここの叙述はいきなり専門用語が出てきていてよくない、この論点は本書のレベルを超えるのではないか、初学者にはまず基本事項を理解してもらうようにした方がいい、図や表を定期的に入れて、読者が疲れないように工夫してはどうかなど、長時間の議論を行った。初学者向けということで、記述の分かりやすさに心がけたが、われわれが普段使っている言葉にも専門用語が入り込んでおり、それをかみ砕くにも試行錯誤した。しかも、平成29年（2017年）改正民法に準拠した教科書は存在しなかったので、法制審議会や国会での審議を参考に、文字通りわれわれ自身が勉強しながらの執筆となった。……

　とりわけ初学者にとっては、本書で解説している判例・通説による標準的な理解を身につけることが、まずもって重要になる。そのうえで、読者が、この本が物足りなくなって、次の本が欲しくなるくらいまで勉強してくれれば、われわれ執筆者にとってこれほどうれしいことはない。

＊　　　　　　＊　　　　　　＊

　本書第２版が、引き続き、読者の皆さんの民法学習に寄与することができれば幸いである。

　2021年11月

原田昌和・寺川 永・吉永一行

民法総則 ［第 2 版］

第 2 版はしがき…**i**　　　　略語一覧…**x**

第 1 章　民法とは…**1**

1　どうして法律はあるのか…**1**

2　民法を学ぶにあたって…**2**
(1) 要件と効果で考える　　(2) 条文を覚えるだけでは足りない　　(3) 判例と通説から始めよう

3　民法とはどのような法律か…**10**
(1) 法体系における民法の位置　　(2) 民法の全体構造

立証責任…**3**　　日本の民法の歴史…**5**

第 2 章　意思表示・法律行為…**17**

I　意思表示・法律行為総説…**17**

1　意思表示・法律行為とは…**17**
(1) 意思表示　　(2) 法律行為

2　契約の拘束力の根拠…**19**

3　私的自治の原則と契約自由の原則…**20**

II　意思表示各論…**20**

1　意思表示の基礎知識…**20**
(1) 意思主義と表示主義　　(2) 意思表示の構造　　(3) 内心的効果意思と動機の区別　　(4) 意思表示に関する諸規律の構成

2　心裡留保…**24**
(1) 心裡留保の意義と原則　　(2) 例外的な無効　　(3) 第三者保護規定

3　通謀虚偽表示…**27**
(1) 通謀虚偽表示の意義と原則　　(2) 第三者保護規定　　(3) 94条 2 項類推適用

4　錯誤…**33**
(1) 2 種類の錯誤　　(2) 錯誤の種類①―意思欠缺錯誤（95条 1 項 1 号）　　(3) 錯誤の種類②―基礎事情錯誤（95条 1 項 2 号）　　(4) 錯誤の効果は取消し　　(5) 錯誤による取消しの要件　　(6) 錯誤による取消しの効果

5　詐欺…**41**
(1) 効果はなぜ取消しなのか　　(2) 意思表示の相手方によって詐欺が行われた場合の詐欺取消しの要件（96条 1 項）　　(3) 第三者によって詐欺が行われた場合の詐欺取消しの要件（96条 2 項）　　(4) 詐欺取消しと第三者との関係

6　強迫…**46**

iii

7　意思表示の取消しからの第三者の保護…**47**
　　⑴ 取消前の第三者　　⑵ 取消後の第三者

8　意思表示の効力発生時期等…**49**
　　⑴ 到達主義　　⑵ 公示による意思表示　　⑶ 意思表示の受領能力

「善意」の人は親切な人？…**27**　　　不動産登記…**28**　　　「基礎とされていることが表示され
ていた」の意味……**40**　　　消費者契約法……**44**

第3章　法律行為の効力…51

Ⅰ 法律行為の内容の確定と有効要件…51

1　法律行為の内容の確定…**51**
　　⑴ 契約の解釈　　⑵ 慣習による補充　　⑶ 任意規定による補充と強行規定

2　法律行為の有効要件…**53**
　　⑴ 内容の確定性　　⑵ 内容の適法性・社会的妥当性

Ⅱ 条件・期限…58

1　条件…**58**
　　⑴ 条件とは　　⑵ 停止条件と解除条件　　⑶ 条件付き法律行為の効力　　⑷ 条件の成否未定の間
　　の期待権　　⑸ 条件成就の妨害等　　⑹ 特殊な条件

2　期限…**60**
　　⑴ 期限とは　　⑵ 期限の利益

Ⅲ 無効・取消し…62

1　総説…**62**
　　⑴ 無効と取消しの意義　　⑵ 無効と取消しの振り分け　　⑶ 無効と取消しの二重効

2　無効…**64**
　　⑴ 無効であることの意味　　⑵ 無効行為の追認　　⑶ 無効行為の転換　　⑷ 無効を主張できる期
　　間

3　取消し…**67**
　　⑴ 取消しの意義　　⑵ 取消権者　　⑶ 取消しの方法　　⑷ 取消しの効果　　⑸ 取り消すことが
　　できる法律行為の追認　　⑹ 取消権の行使期間

給付が実現可能であることは必要か？…**54**　　　動機の不法…**56**

第4章　権利の主体としての人…73

Ⅰ 民法における人とは…73

Ⅱ 権利能力…74

1　権利能力とは…**74**

iv

2 権利能力の始期と終期…**74**
(1) 権利能力の始期　(2) 胎児の特例　(3) 権利能力の終期

3 失踪宣告…**79**
(1) 失踪宣告とは　(2) 失踪宣告の要件　(3) 失踪宣告の効果　(4) 失踪宣告と死亡擬制時
(5) 失踪宣告の取消しとその要件　(6) 失踪宣告の取消しの効果

Ⅲ 意思能力…**85**

1 意思能力とは…**85**

2 意思能力制度の問題点と行為能力制度の必要性…**87**
(1) 意思無能力者にとっての問題　(2) 相手方にとっての問題　(3) 求められる制度

Ⅳ 行為能力…**88**

1 行為能力とは…**88**
(1) 行為能力の定義　(2) 行為能力制度の特徴　(3) 各制度を理解する際のポイント

2 未成年者保護制度…**91**
(1) 未成年者の定義　(2) 未成年者の保護者　(3) 未成年者の行為能力

3 成年後見制度…**94**
(1) 成年後見制度の概要　(2) 成年後見制度開始の手続と要件　(3) 保護を受ける者の行為能力の
制限の内容　(4) 成年後見制度における保護者の権限

4 相手方の保護…**102**
(1) 相手方の催告権　(2) 制限行為能力者による詐術

権利能力平等の原則…**75**　　「推定する」と「みなす」…**78**　　「とき」と「時」の違い…**81**
市町村長による審判開始の申立て…**95**　　成年後見登記制度…**96**　　任意後見…**101**
物…**105**

第5章　代理…**107**

Ⅰ 代理総説…**107**

1 代理とは…**107**

2 代理制度の必要性・社会的役割…**108**
(1) 個人の活動の支援①　私的自治の補充　(2) 個人の活動の支援②　私的自治の拡張　(3) 法人
の活動の支援

3 代理の種類…**109**
(1) 法定代理　(2) 任意代理　(3) 法人の代理（代表）

4 代理の外部関係・内部関係…**112**

Ⅱ 有権代理…**112**

1 代理人による有効な法律行為…**113**
(1) 代理行為の瑕疵（101条）　(2) 代理人の能力（102条）

目次　v

2 顕名（99条・100条）…**115**
   (1) 顕名とは　(2) 顕名が行われない場合の効果

3 代理権の存在…**116**
   (1) 代理権とは　(2) 代理権の発生原因・範囲　(3) 代理権の範囲が定められていない場合
   (4) 代理権の制限

4 復代理…**121**
   (1) 復代理・復任とは　(2) 復任が許される場合　(3) 復代理の効果　(4) 復代理人の行為につい
   ての本人に対する責任

III 無権代理…**125**

1 無権代理とは…**125**
   (1) 無権代理となる場合　(2) 無権代理行為の効果　(3) 本人による無権代理行為の追認　(4) 相
   手方の取消権　(5) 無権代理に対する相手方の救済

2 無権代理人の責任…**129**
   (1) 無権代理人の責任の内容　(2) 無権代理人の責任の要件　(3) 無権代理人が責任を負わない場
   合

3 無権代理と相続…**131**
   (1) 無権代理と相続が問題となる場合　(2) 無権代理人が本人を単独で相続した場合　(3) 無権代
   理人が本人を他の相続人と共同で相続した場合　(4) 本人が無権代理人を相続した場合

IV 表見代理…**135**

1 表見代理とは…**135**
   (1) 表見代理制度の必要性　(2) 表見代理における本人と相手方の利益の調整

2 代理権授与の表示による表見代理（109条）…**136**
   (1) 概要　(2) 白紙委任状

3 権限外の行為の表見代理（110条）…**139**
   (1) 概要　(2) 要件

4 代理権消滅後の表見代理（112条）…**141**

任意代理と法定代理の違いの相対化…**111**　　代理と使者…**113**　　代理人が相手方に対
して詐欺・強迫を行った場合…**114**　　委任状と印鑑証明書…**117**　　代理権濫用と無権
代理…**125**　　「相当の期間」…**128**　　資格併存説と資格融合説…**133**　　追認不可分説
と追認可分説…**134**　　「黙認」による代理権授与表示…**137**　　基本「代理権」の必要性…**140**
代理権授与表示・代理権消滅による表見代理と「権限外」の行為…**142**

第6章　時効…**143**

I 時効総説…**143**

1 時効とは…**143**

2 時効制度の存在理由…**144**

3 時効の完成とその援用…**145**

Ⅱ 取得時効の完成…146

1 要件…146
(1) 所有権の時効取得　(2) 所有権以外の財産権などの時効取得　(3) 他主占有から自主占有に変わる場合

2 効果…149
(1) 原始取得　(2) 起算点

Ⅲ 消滅時効の完成…150

1 要件…151
(1) 原則　(2) 例外1：不法行為による損害賠償請求権の消滅時効　(3) 例外2：人の生命または身体の侵害による損害賠償請求権の消滅時効　(4) 例外3：定期金債権の消滅時効　(5) 例外4：判決等で確定した権利の消滅時効

2 効果…157

Ⅳ 時効の完成猶予および更新…157

1 時効の完成猶予および更新が生じる場面…157
2 承認による時効の更新…160
3 催告による時効の完成猶予…162
4 協議を行う旨の合意による時効の完成猶予…163
5 裁判上の請求等による時効の完成猶予および更新…165
(1) 時効の完成猶予　(2) 時効の更新
6 強制執行等による時効の完成猶予および更新…167
(1) 時効の完成猶予　(2) 時効の更新
7 時効の完成猶予に関するその他の規定…169
8 時効の完成猶予または更新の効力が及ぶ者の範囲…170

Ⅴ 時効の援用…171

1 時効の援用とは…171
2 援用権者の範囲…171
(1) 取得時効の場合　(2) 消滅時効の場合
3 援用の効果が及ぶ範囲…175

Ⅵ 時効利益の放棄…175

1 時効利益の放棄・時効完成前の放棄の禁止…175
2 時効完成後の自認行為…176

Ⅶ 期間——初日不算入の原則…177

除斥期間…153　　短期消滅時効の廃止…156　　抵当不動産の後順位抵当権者は時効の援用権者に当たるか…173

第7章　法人…179

I　法人総説…179
1　法人とは…179
2　法人制度が認められない場合のデメリット…180
3　法人制度が認められる場合のメリット…181
4　一般法人法の制定…183

II　法人法定主義・法人格付与の方法…184
1　法人法定主義…184
2　法人格付与の方法…184

III　法人の種類…186
1　公法人・私法人…186
2　営利法人・非営利法人…186
3　公益法人…187
4　社団法人・財団法人…188

IV　法人の設立…188
1　一般社団法人と一般財団法人…188
　(1) 一般社団法人　　(2) 一般財団法人
2　公益社団法人と公益財団法人…189
3　団体としての実態と法人格の付与…190
　(1) 団体としての実態を備えていない法人　　(2) 法人格のない社団・法人格のない財団
　(3) 組合と法人との違い

V　法人の組織…194
1　法人の根本規則…194
　(1) 定款　　(2) 根本規則の変更
2　法人設立の登記…195
3　法人の権利能力および法人格の内容…195
4　法人の機関…196
　(1) 意思決定機関　　(2) 業務執行機関　　(3) 監督機関

VI　法人の能力…201
1　法人の権利能力への一定の制限…201
2　目的による制限の意味…202
3　法人の不法行為…202

Ⅶ 法人の解散および清算…**203**

1 法人の解散…**203**

(1) 一般社団法人および一般財団法人に共通する解散事由　(2) 一般社団法人に特有の解散事由

(3) 一般財団法人に特有の解散事由

2 法人の清算…**205**

法人の設立について…**185**　　NPO法人…**190**　　株主総会開催の報道がなぜ毎年6月に集中するのか…**198**　　株式会社の場合の業務執行機関…**201**

第8章 私権の行使に対する制限…**207**

Ⅰ 私権とは…**207**

Ⅱ 公共の福祉による制限…**209**

Ⅲ 信義則（信義誠実の原則）…**210**

1 信義則とは…**210**

2 信義則が問題とされる場面…**210**

(1) 行動準則としての信義則　(2) 不誠実な行為による地位の取得等への防止　(3) 先行行為との矛盾に対する制裁

Ⅳ 権利濫用の禁止…**212**

1 権利濫用とは…**212**

2 権利濫用とされた場合の効果…**213**

第9章 民法の基本原則と現代的課題…**215**

Ⅰ 民法の基本原則（私的自治）…**215**

1 権利能力の平等…**216**

2 所有権絶対の原則…**217**

3 契約自由の原則…**218**

4 過失責任の原則…**219**

Ⅱ 民法の現代的課題…**219**

1 権利外観法理…**219**

2 「人」概念の具体化…**220**

3 民法の国際化…**221**

事項索引…**223**　　著者紹介…**228**

目次　**ix**

略語一覧

＊本文中、民法については表記を省略している。

Ⅰ　主要法令名

一般法人法	一般社団法人及び一般財団法人に関する法律
会社	会社法
憲	日本国憲法
公益法人認定法	公益社団法人及び公益財団法人の認定等に関する法律
後見登記	後見登記等に関する法律
精神	精神保健及び精神障害者福祉に関する法律
知的障害	知的障害者福祉法
任意後見	任意後見契約に関する法律
民訴	民事訴訟法
老福	老人福祉法

Ⅱ　判例集

民録	大審院民事判決録
民集	大審院民事判例集
	最高裁判所民事判例集
家月	家庭裁判月報
金法	金融法務事情

第1章
民法とは

1 どうして法律はあるのか

　民法について勉強する前に、まず、民法を含む法律はなぜ存在するのかを考えてみることとしよう。法律はしばしばゲームやスポーツのルールにたとえられるが、これはどういうことだろうか。

　人間は未熟だから、人間が社会生活を営むと、そこには必ずもめごとが生じる。例えば、単純な物々交換であっても、より高いものと交換してもらうために、自分の持っている商品を少しでもよく見せようとして、ウソをついてしまうということがある。なかにはもっと単純に、他人のものを力で奪おうとする人もいるかもしれない。あるいは、いったんした約束を、気が変わって破る人もいるかもしれない。世の中に存在する物は有限なので、こうした状態を放っておくと、最終的には血で血を洗う悲惨な世界になりかねない。

　そこで、人間が平和に暮らすためにできたのが法律である。法律によって、詐欺や強迫によって契約をさせてはいけないとか、約束は守らなければならないなどのルールが決められているのである。

　すなわち、法律は、紛争を未然に防ぎ、もし紛争が起こった場合には、それを公平に解決するための道具ということができる。ちょうど、ルールを決めることで、ゲームやスポーツを安心して楽しむことができるようになるのと似ている。

第1章　民法とは　001

2　民法を学ぶにあたって

(1)　要件と効果で考える

このように、法律には、私たちが平和に暮らすためのさまざまなルールが定められており、法律を学ぶ際には、そのルールに照らして、社会の出来事の善しあしを考えていくことになる。

法律は、さまざまなルールを、「人を殺した者は、死刑又は無期若しくは五年以上の懲役に処する」（刑法199条）、「故意又は過失によって他人の権利又は法律上保護される利益を侵害した者は、これによって生じた損害を賠償する責任を負う」（民法709条）というように、「これこれの事実がある場合には、これこれの効果が発生する」という形で定めている。単独の条文がこのような形式になっていない場合であっても、複数の条文を組み合わせ、あるいは解釈により、このような形式に読み替える。

709条を例にもう少し詳しく説明しよう。被害者が加害者に対して損害賠償請求権を有するかどうかを判断するには、①被害者が権利または法律上保護される利益を有していること、②加害者がその権利または利益を侵害したこと、③侵害について加害者に故意または過失があること、④被害者に損害が発生したこと、⑤加害者の加害行為と被害者の損害の間に因果関係があること（条文の「よって」という言葉がこれに当たる）という、709条から読み取れる5つの事実が存在するかどうかを判断し、これらがすべて存在すると認められた場合に、損害賠償請求権が存在するものとして扱うことになる。

これらの事実のことを要件といい、要件が揃ったときに認められる権利義務関係のことを効果という。法律を学習する場合には、このような「要件→効果」という形で考える思考方法を身につける必要がある。効果として発生する権利や義務は目に見えないため、目に見える要件でもって効果の存否を判断する思考方法は、権利や義務を扱いやすいものにしている（→【図表1-1】）。

【図表１-１】要件・効果による思考方法から見た709条

要　　件	効　　果

①被害者が権利または法律上保護される利益を
　有していること
②加害者がその権利または利益を侵害したこと
③侵害について加害者に故意または過失がある
　こと
④被害者に損害が発生したこと
⑤加害者の加害行為と被害者の損害の間に因果
　関係があること

(709条)

損害賠償責任

　　立証責任

　本文で解説したように、法律には、私たちが平和に暮らすためのルールが定
められているわけだが、実際には、法律でこうなっていると言っても従おうと
しない人も多い。あるいは、自分はそんなことをしていないと言って争う人も
多いだろう。そうした場合には、裁判所に事件が持ち込まれることになる。し
たがって、法律は、私たちが従うべきルールであるとともに、裁判所がそれを
用いて事件を解決するためのルールでもある。

　事件が持ち込まれた場合、裁判所は、要件を満たす事実が存在するかどうか
を審査して、効果としての権利義務の存否を判断する。しかし、民事訴訟に関
する裁判のルールでは、裁判所自らが関連しそうな条文を探し出し、証拠を探
し出して、判断してくれるということはない。どのような条文を持ち出して、
どのような権利義務を主張し、どのような証拠でそれを証明するのかはすべて
当事者に任されている。

　その理由としては、結論にもっとも利害関係をもっている当事者に、自己に
有利な証拠や資料の収集・提出の責任を負わせるのが、真実発見の最良の手段
であるとか、私法上の権利は当事者が自由に処分できるものだから、その基礎
となる証拠や資料もまた当事者の自由処分に任せてよいといったことが説かれ
ている。

　このようなルールの下で、当事者はそれぞれ自分の主張に理由があることを

第１章　民法とは　　003

証明しようとして頑張るわけだが、どれほど頑張っても、裁判官は神様ではないので、ある事実についてはあるのかないのかわからないという事態が生じることがある。しかし、裁判所は最終的に権利義務の存否を判断しなければならないため、民事訴訟のルールでは、「証明できない事実はないものとして扱う」ということになっている。

　さきほどの709条の要件のうち、原告被告が訴訟活動を繰り広げた結果、⑤の因果関係があるのかないのか裁判所にはわからないという状態になった場合には、因果関係はないということになり、損害賠償請求権もないということになる。ちなみに、③の故意などの主観的な要件についても、「わざとじゃなかったんです」と言いさえすれば故意がないことになるのではなく、当時の状況や当事者の前後の行動などを資料にして、故意の有無が判断される。

　このように、訴訟活動を繰り広げたけれども、それでもなお裁判所にとって、事実があったのかなかったのか不明である、確信が抱けないという場合に、その事実を要件とする効果の発生が認められないという不利益を被ることを「立証責任」あるいは「証明責任」という。709条の要件については、すべて原告（被害者）が立証責任を負い、５つすべてを原告（被害者）が証明しなければならない。逆に言うと、被告（加害者）は５つのうちどれか１つでもあったのかなかったのか不明であるという状態に持ち込めば、損害賠償責任を免れるということになる。また、要件を満たす事実について、そもそも主張がなされない場合にも、その事実を要件とする効果の発生が認められない。このような不利益の負担を主張責任という。

　709条の例では、５つの要件すべてについて原告が主張立証責任を負担することとなっているが、誰がどの事実について主張立証責任を負担するかについては、その事実の存在によって利益を得るのは誰か、関連する証拠に近いのは誰かなどを考慮して決められている。主張立証責任について、詳しくは、民事訴訟法で学習するが、民法の学習においても出てくるため、ひとまず上に述べたところを知っておくとよいだろう。

(2)　条文を覚えるだけでは足りない

(a)　法律の解釈は避けられない

法律を学ぶ際には、そのルールに照らして、社会の出来事の善しあしを考え

ていくのだが、実は、法律の条文を覚えれば法律家になれるというわけではない。さきほど挙げた709条も、「権利又は法律上保護される利益」とは何なのか、具体的にどのような場合に故意や過失があることになるのかといったことを定めているわけではない。全部決めていてくれればいいのにと思うかもしれないが、あまり具体的に法律に書きすぎると、事実がそれと少しでも異なる場合に、被害者の「権利又は法律上保護される利益」が侵害されていないとか、加害者に故意や過失がないとされ、実際の事件で妥当な結論を導き出すことができなくなってしまう。

　法律は、一度作られると長い期間にわたって効力を有する。下記コラムにあるように、日本の民法が施行されたのは明治31年（1898年）である。この頃には飛行機もインターネットも存在せず、かろうじて、わが国にはじめて自動車が持ち込まれたのがこの年だそうである。そうなると、民法の立法者にとっては、交通事故や飛行機事故、インターネットで他人のプライバシーを暴露するといったような事態は想像もつかなかっただろう。

　もちろん、民法ができてから現在までに、さまざまな法律が制定され、対処が行われている。しかし、ある問題が社会問題として取り上げられてから、法案が作られ、国会で可決するまでには一定の時間がかかるため、その間に発生した問題を解決できないのは困るし、上記のように、あまり詳細に条文を書きすぎると、実際の事件を解決する際に使いにくい。そこで、法律を制定する際には、問題をある程度抽象化して、１つの条文で、類似する多くのケースを扱えるように工夫しているのである。したがって、法律を使って実際の問題を解決するためには、法律の条文を知っているだけでは足りず、多かれ少なかれ、それを解釈して、例えば「権利又は法律上保護される利益」とはどういう意味だろうかとか、今回の事件で、加害者に故意や過失があるといえるだろうかといったことを明らかにしていく必要があるのである。

日本の民法の歴史
　現行民法典の沿革は明治に遡る。明治新政府は、幕末に欧米列強との間で締結された不平等条約の改正という実際的な目的もあって、いわゆるお雇い外国人を招聘し、近代法典の整備に乗り出した。その１人であるボワソナードは、

第1章　民法とは　005

明治 6 年（1873年）に来日、明治12年（1879年）から民法典の起草作業に着手した。彼の草案をもとに、明治23年（1890年）に公布されたのが、いわゆる旧民法典である。しかし、旧民法典に対しては、個人主義的でわが国の国情に反するとして、「民法出でて忠孝亡ぶ」というキャッチフレーズに代表される批判が巻き起こり、施行延期となった。

　そこで、明治政府は、明治26年（1893年）、穂積陳重、富井政章、梅謙次郎の 3 人を起草者として、法典調査会を設置し、民法典制定の任に当たらせた。法典調査会では、旧民法典の他、既に公表されていたドイツ民法草案を含む各国の民法典を参考に、起草・審議が行われ、財産法の部分は明治29年（1896年）に、家族法の部分は明治31年（1898年）にそれぞれ公布され、ともに明治31年から施行された。

　このうち家族法部分は、戦後の昭和22年（1947年）に全面改正されている。戦前の家族法は、「家制度」を基礎としており、個人の尊厳と両性の平等という日本国憲法の理念にそぐわなかったからである。

　その後の大きな改正としては、昭和46年（1971年）の根抵当に関する規定の新設、平成11年（1999年）の成年後見制度の創設、平成16年（2004年）の財産法部分の口語化、平成29年（2017年）の債権や契約に関する規定の大改正、平成30年（2018年）の成年年齢の引き下げおよび相続分野の改正、令和 3 年（2021年）の所有者不明土地等への対応に関わる規定の改正といったものがある。

(b)　法の欠缺は避けられない

　このように、法律は、問題をある程度抽象化して、 1 つの条文で類似する多くのケースを扱えるように工夫している。しかし、法律はすべてを規定し尽しているわけではないので、適用すべきルールが欠如していて見つからないことがある（これを「法の欠缺」という）。

　法の欠缺が生じてしまう場合としては、①立法のミスから規定漏れが生じてしまう場合、②当然のこととして、特に規定しない場合、③規定を設けるほどには議論が熟していないとして、将来の判例や学説の発展に委ねる場合、④立法後に、当初予想できなかった事態が生じる場合などがある。

裁判所としては、持ち込まれたトラブルを、法律にルールが定められていないから解決できませんといって放置するわけにはいかず、解釈によって法の欠缺を埋めるルールを明らかにし、それによってトラブルを解決しなければならない。

　日本の民法の立法者は、当然のことは条文に書かずに規定をできるだけシンプルにしようという方針をとっており、例えば、契約は守らなければならないといったルールは定められていない。また、平成29年（2017年）の民法改正で、それまでに判例・学説によって形成された多くの法理が規定されるに至ったが、なお議論が熟していないとして、あえて規定を設けずに、将来の判例・学説の議論に委ねられたものも多い。こうしたものについては、解釈によってルールを明らかにしていく必要がある（判例・学説という言葉の意味については、(3)の解説を参照）。

(c)　勝手な解釈は許されない

　民法の学習の多くの時間は、こうした解釈の学習に費やされるわけだが、その前に、解釈を行う際の注意点をいくつか挙げておこう。まず、解釈を無制限に認めれば、法律はあってないようなものになる。法律を勉強した経験のない人は、柔軟な考え方によって妥当な解決を図ることを裁判所に求めやすいが——そのような報道もしばしばある——、裁判所というのは、国会が作った法律を事件に適用して紛争を解決する機関であって、勝手に何でもしていいわけではない。そのときの世論で多数と思われる意見が常に正しいとは限らないし、裁判所が恣意的な判断をする恐れもないとはいえない。

　そこで、解釈の際にはまず、①法律の文章は、通常用いられている意味などに基づいて、できるだけ素直にそのまま読む必要がある。裁判所は、基本的には、国会が制定した法律を事件に適用して紛争を解決する機関だからである。

　ただ、それだけでは、妥当と思われない結論に至ったり、上記の「法の欠缺」のように、そもそも適用すべきルールが見つからないこともある。そういう場合には、②類似するルールを適用したり（これを類推解釈または拡張解釈という）、逆に、③ルールの適用を制限したりする（これを制限解釈という）。ただし、こうした解釈をする際には、必ず法律上の根拠なり何らかの理由が必要である。裁判官が個人的に正義と信じるもの、あるいは公平と信じるものに基づ

いて勝手に解釈することがあってはならない（憲76条3項）。三権分立のもとでは、何が正義公平にかなうかは、国民に選ばれた議員で構成される国会で決められるべきものである。法律の解釈の際に持ち出してきてよい理由とは、法律や条文が基礎としている思想、原理、関係者間での利益の配分についての考え方などである。

解釈の際には、その法律や条文はどのような思想や原理、あるいは利益の配分についての考え方を基礎としているのか、それらがどのように法律や条文に具体化されているのかを明らかにして、それに基づいて、当該条文を類推適用、拡張適用、制限適用すべきだと主張することになる。

また、法律の解釈の際には、立法時にはっきりとは自覚されていなかった思想や原理などが持ち出されることもある。それでも、勝手な思想や思い付きの原理を持ち出すことは許されず、あくまでその法律や条文の基礎にある思想や原理、利益配分についての考え方を発見し、それに基づいた判断をしなければならない。その意味で、法律の解釈は、国会の定めた枠内でのみ行うことができる。この枠を越えてルールを定めることができるのは、国会だけなのである。

(3) 判例と通説から始めよう

このように説明すると、いやはやこれからどれだけ大変な勉強が待っているのだろうかと、法学部に入ったことを後悔してしまう人もいるかもしれない。法律の解釈のあり方は、上記のとおりなのだが、これを大学に入学したての一年生に求めるのは、どだい無理な話だろう。そこで、法律を学習する際には、裁判所（特に最高裁判所）の判決や一般に広く支持されている学説がどのように法律を解釈しているのかというところから学習をスタートすることになる。

(a) 判例

法学部で勉強を始めると、教科書や参考書などで、「判例は」とか「判例によると」という表現をしばしば見かける。読者の中には、法科大学院に進学して、弁護士や裁判官、検察官といった実務法律家になることを希望する人もいると思う。しかし、実務法律家にとっても、解釈にかかわるすべての問題について、事件解決のために自分で完全に一から、法律の基礎にある思想や原理などを調べたり考えるというのは、容易なことではない。

そこで、実務法律家が解釈のよりどころとしてまず参照するのが「判例」である。現在では、膨大な量の裁判所の判断が蓄積されているが、それらの中で、特に最高裁判所の判断は「判例」と呼ばれている。判例に反する高等裁判所の判決に対しては最高裁判所の判断を求めることができ、最高裁判所が過去の判例を変更するには一定の手続きが必要とされていることから、判例には、今後同じようなケースが生じた場合には、それに従って処理するという、先例としての効力が認められている。そのため、例えば弁護士が裁判所で自分の主張を認めてもらうには、まずは判例を解釈のためのよりどころとして、主張することになる。

なお、「判例」という言葉の意味については少し注意が必要である。一般に裁判所の裁判においては、証拠調べを経て事実が確定され、それを前提として、当事者の主張に応接しながら、個別の事件について具体的な判断が示される。最高裁判所の判決もまた、そうした個別の事件について下されたものである。この、最高裁判所の個々の裁判例自体を「判例」と呼ぶことがある。これに対して、最高裁判所の裁判例をもとに、後の裁判の指針となる部分を抽出し、定式化したものを「判例」と呼ぶこともある。これを、個々の裁判例自体を指す場合と区別して、「狭義の判例」あるいは「判例法理」ともいう。前の段落の「判例」は、こちらの意味である。本書では、特に断りのない限り、両者を含む意味で、「判例」という語を用いる。

(b) 学説・通説

さて、そうした「狭義の判例」を明らかにするのは学説の仕事である。最高裁判所は、「この部分が狭義の判例ですよ」と示すことはなく、事案の解決に必要な限りでしか判断をしないため、以前の判断と矛盾するようにみえる判断をしているのに、その理由については、「事案が違う」としか説明されていないこともしばしばある。そのため学説が、個々の裁判例を分析し、「狭義の判例」を構成する部分を抽出・確定・整理するのである（したがって、学説によって、「狭義の判例」の理解が異なることもある）。

その他、学説の役割としては、制度の歴史や外国の状況、統計資料などをもとに、時には判例を批判して、あるべき解釈の提案をしたり、立法提案をすることもある。実務法律家も、判例が変更されるべきだと考える場合や、判例の

見当たらない新たな問題に対処する場合には、学説の議論を参考にすることになる。また、中央省庁や自治体が、法律や条例の案を作成する場合にも、こうした学説の議論が参照される。

これら学説の議論のうち、一般的に広く支持されているものを「通説」という。通説には判例のような効力はないが、学説の中での厳しい議論を経て生き残ってきただけのことはあって、強い説得力を有する見解が通説として認められている。そのため、実務においても、通説は、他の学説よりも重視され、判例と並ぶ解釈のよりどころとして参照されているのである。われわれも、まずは判例と通説から学習を始めよう。

3　民法とはどのような法律か

(1)　法体系における民法の位置

(a)　公法と私法

次章から、本格的に民法を学んでいくことになるが、そもそも民法とはどのような法律なのだろうか。憲法や刑法などとどう違うのだろうか。

まず最初に言われるのは、民法は私法の一般法であるという説明である。法律には、国家と国民との間で適用される憲法や刑法、行政法といった法律がある。これを公法という。これに対して私法は、国民と国民（私人ともいう）との間の法律関係について定めた民法や商法などの法律のことをいう（→【図表1-2】）。

【図表1-2】公法と私法

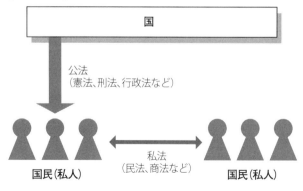

例えば、スキー事故で被害者に怪我をさせたという場合、加害者が過失傷害罪で罰金を支払うという場面で適用されるのは刑法だが、これは国が国民に罰金を負わせるわけだから、公法である。これに対して、被害者が加害者に損害賠償を請求する場合には、国民と国民の間の関係だから、これは私法である。

　また、刑法による刑事手続と民法による民事手続は、少なくともわが国では、まったく別個の裁判で行われる、相互に無関係なものである。したがって、「殺人罪が成立するので、刑罰が科される」という文章は正しいが、「殺人罪が成立するので、被害者に損害賠償しなければいけない」という文章は誤りということになる。

(b) 一般法と特別法

　このように、民法は私人間の法律関係に適用されるが、私人間の法律関係であればいつも適用されるのかというと、そうではない。例えば、商人同士の取引については、商法に特別な規定があり、そこに規定がない場合にだけ民法が適用されることになっている。商人間の取引については、取引の迅速化や複雑化によって、一般の人々の間の取引とは違った考慮が必要になるためである。

　このように特殊な事項ないし特殊な人について規定している法律を特別法といい、商法以外にも、借地借家法、消費者契約法、製造物責任法、労働契約法などさまざまなものがある。これに対して、民法のように、地域・人・物・事項などによって制限されず、一般的な関係を規律している法律を一般法という。法律のルールでは、特別法は一般法に優先して適用され、特別法の規定がないときに始めて、一般法が適用される。したがって、民法が私法の一般法であるというのは、私人間での紛争について、特別法がない場合にはすべて民法が適用され、事件解決の基準になるという意味である。

　ところで、多くの大学では、民法を基本科目あるいは基礎科目として教えている。そのため、学生の多くは、基本とか基礎とかいうからには、まず何か易しいことを勉強して、学年が進むにつれて難しい内容が出てくるのだろうと考えがちである。たしかに民法は、権利・義務・契約・不法行為などの基本概念や私人間での紛争解決のための基本的な考え方のような、さまざまな法律のOS（パソコン上でさまざまなソフトウェアを動かすベースとなる基本ソフト）になる部分を定めているという意味で基本法であるといえるが、内容的に簡単である

とか基本的であるということはまったくない。労働法や商法といった、民法の後で学ぶ科目と同様に、場合によってはそれ以上に難しい内容も含まれていることに注意してほしい。

(c) 実体法と手続法

民法には、「〜を請求することができる」とか、「損害を賠償する責任を負う」といった条文が多数定められている。しかし、こういう条文があっても、支払いたくないという人はいるし、そもそもその条文が適用されるのかどうかが争いになることもある。

このように、法律があっても守らない人がいると、せっかく法律でルールを定めても、事件を解決する機能を果たすことはできない。そこで、国家の力を背景に、民法を強制的に実現し、法律を守らせるための手続きが必要になる。それが、民事訴訟制度と強制執行制度である。

民事訴訟では、当事者の言い分を聞き、証拠調べなどをして、権利があるのかないのかを判断する。そして、権利があるにもかかわらずそれが実現されない場合には、国家が強制的にその権利を実現してくれる。これらの権利の確定・実現のためのルールを定めているのが、民事訴訟法や民事執行法などの手続法である。

これら手続法に対して、民法のような権利の存否を定めている法律のことを実体法という。しかし、いくら実体法がしっかりしていても、手続法がしっかりしていなければ絵に描いた餅となってしまう。例えば、労働関係の法律で、労働者にはこれこれの権利があると決められていても、雇用者が労働者の権利を守らなかった場合に、労働者がそれを訴えることができなかったり、訴えることができても労働者にとっての負担が大きいと、労働者の権利は十分に保障されないことになる。近時では、時間や費用の点で負担の大きい一般的な民事訴訟や民事執行といった制度に加えて、労働審判制度という簡易迅速な制度ができることによって、労働者の権利保障が、手続面からも充実してきている。

(2) 民法の全体構造

(a) 家族法の構造

民法は5つの編からできているが、これは、大きく財産法（第1編から第3

編)と家族法(第4編・第5編)に分かれる。

　家族法は、さらに親族法と相続法に分かれる。親族法(第4編)とは、夫婦・親子を中心に、家族に関する身分を定めた法である。例えば、どのような場合に夫婦関係や親子関係などが発生し(婚姻、養子縁組など)、どのような場合に解消されるか(離婚、離縁など)、夫婦や親子などの親族間ではどのような権利や義務が発生するかなどが規定されている。

　これに対して、相続法(第5編)とは、人が死亡した場合に、その財産が誰に帰属するかということを定めた法である。例えば、死亡した人が遺産の行方について何も決めておかなかった場合、この遺産を誰がどのように相続するか(法定相続)、自分が死んだ後に、遺産を誰かに与えるためにはどうしたらよいか(遺言)、法律が定めるよりも少ない財産しかもらえなかった相続人は、一定程度の財産をもらうためにどうすればよいのか(遺留分侵害額請求権)などが定められている。

(b) 財産法の構造

　以上の家族法に対して、財産法とは、財産に関する問題を規律する法である。財産法は非常に広い分野を含むが、民法が定める財産法は、財産の帰属とその移動に関する基本的な枠組みとルールを定めたものである。民法がどのような枠組みに基づいて、財産法を規律しているかについては、民法の世界観をみておくと理解が早いだろう。

【図表1-3】民法の世界観

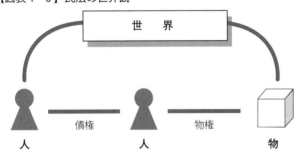

＊人には、法律上人とみなされる団体である「法人」も含む(詳しくは第7章を参照)

民法では、権利や義務からなる関係として、世界が構成されている（以降、本書では、「法律関係」という言葉は、権利を有し義務を負う関係のことを意味する）。そして、民法は、物に対する支配は可能だが、人に対する支配はできないという考えから、世界を人と物とに分けている（→【図表1-3】）。このような図式の中で、人の人に対する権利が債権であり、債権の発生原因の代表が、契約や不法行為である。民法はさまざまな契約類型を定めているほか、債権の発生原因として、不法行為、事務管理、不当利得に関する規定を置いている。

　これに対して、人の物に対する権利が物権である。物権の代表が所有権だが、民法にはそのほか占有権、用益物権、担保物権などさまざまな類型の物権が定められている（物権と債権について詳しくはNBS『物権法』第1章ⅠⅡ、同『債権総論』第1章Ⅰを参照）。

　したがって、民法がわかると言えるためには、まず、事件を「人と人」・「人と物」の関係に分解して、各々に存在する関係を明らかにできるようになる必要がある。

　例えば、Aが自分の車をBに売却するという場合、ここでは、問題を「AとB」、「Aと自動車」、「Bと自動車」という関係に分解して考える必要がある。まず、Aと自動車の間には所有権という物権がある。そして、AとBが売買契約を締結すると、AはBに対する代金支払債権を持ち、BはAに自動車引渡債権を持つ。一方、自動車の所有権は売買契約によってAからBに移る。問題を法律的に解決するためには、このような考え方ができることが基本となる。この先の学習では、Bが代金を支払わない場合にAにはどのような救済手段があるかとか、Aが実は自動車の所有者でなかったらどうなるかといった問題を学ぶが、そういった問題も、以上のような考え方を基礎にして検討される（→【図1-4】）。

【図1-4】AB間の自動車売買契約

民法の財産法部分の規定も、この世界観に基づいて定められており、まず物権部分（第2編）があって、そのあと債権部分（第3編）があり、そのあとに家族法部分がおかれている。

(c) 民法総則とパンデクテン体系

ところが、民法をよくみると、物権部分の前に「総則」という部分がある（第1編）。総則というと、何か基本原則が定められているようなイメージをもつかもしれないが、これはそうではなく、民法全体に共通する事柄を抽象化して定めたものである。さらに民法の目次を見ると、冒頭の「総則」以外にも、あちこちに「総則」という項目がある。これが何を意味するのかを理解するには、パンデクテン方式という法律の体系化の方式を理解する必要がある。

パンデクテンとは、高校の世界史の授業で出てきた「ローマ法大全」のなかの「学説彙纂」と呼ばれている部分のギリシャ語名に由来する。学説彙纂は、後に中世から近世にかけてドイツに継受され、19世紀のドイツ法学は、これをもとに壮大な体系を作り上げた。これをパンデクテン体系というが、ドイツ民法典はこのパンデクテン体系に従って作られている。明治初期の日本の民法の起草者は、各国の民法を参照してさまざまな規定を置いたが、条文の配置などの体系的部分に関しては、このドイツ民法の編纂過程を参考に、パンデクテン方式を採用した（内容的にはフランス法的な規定も多い）。

パンデクテン方式とは、数学の因数分解と同様に、個別的な事柄について共通するものをくくりだして前に置くという抽象化の手法である。例えば、贈与、売買、賃貸借などの契約について共通する規定（契約の成立や解除など）があると、それをひとくくりにして前に出す。さらに、契約、不法行為、不当利得、事務管理などの債権発生原因について共通の規定（弁済など）があると、それをひとくくりにして前に出す。同じことを、物権部分、親族部分、相続部分についても行い、最後に、これらすべてに共通する規定を抽出し、民法典の冒頭に総則として置く。こうしてできあがったものが民法総則である。このような観点から、民法総則には、信義則などの民法の基本原則に関する規定、自然人や法人などの権利の主体に関する規定、権利の客体としての物に関する規定、法律行為や時効などの権利の変動に関する規定、期間の計算に関する規定が置かれている。

第1章 民法とは　015

このように、共通する規定を抽象化して前に置いていくと、個別的な問題ごとに同じような規定を何度も置かずにすむため、必要最小限度の規定で済ませることができるほか、学習の際にも、この条文は民法全体に共通するルールだな、この条文は賃貸借契約だけに関するルールだななどと、民法全体の体系が理解しやすくなる。これに対して、デメリットとしては、規定が非常に抽象的に定められているため、規定だけを見ても、それが具体的にどのような場面に適用されるのか理解しづらいとか、例えば、売買に関する問題でも、売買のところに規定があったり、契約総則のところに規定があったり、債権総則のところに規定があったり、民法総則のところに規定があったりするため、民法を勉強したことのない人にとっては、いったいどこを見たらよいのかわからないといった問題がある。

平成29年（2017年）の民法改正に際して、このようなパンデクテン方式で民法を編集することの是非についても、わかりやすい民法という観点から議論がされたが、最終的には引き続きパンデクテン方式を維持するものとされた。民法を理解するためには、この体系をしっかりと理解して、ある問題がこの体系のどこに位置づけられるのかを判断して、各所に散らばっている条文を適切にピックアップできるようになる必要がある。

第2章

意思表示・法律行為

I 意思表示・法律行為総説

1 意思表示・法律行為とは

第2章および第3章では、主に契約を例に、意思表示・法律行為に関する民法の規定を説明するが、それに先立って、意思表示と法律行為という、耳慣れないが非常に重要な2つの概念について説明しておこう。

(1) 意思表示

意思表示とは、一定の法律関係を作り出したいという意思——意志ではない——を外部に表示することである（14頁で述べたように、法律関係とは、権利を有し義務を負う関係のことをいう）。例えば、AがBに「あなたにこの中古パソコンを10万円で売りたい」と告げた場合、これは意思表示である（この意思表示を特に申込みという）。これに対応して、BがAに「わかった。あなたの中古パソコンを10万円で買おう」と告げると、これも意思表示である（この意思表示を特に承諾という）。なぜなら、どちらの行為も、中古パソコンの売買契約という法律関係を相手方と作り出したいという意思を外部に表示するものだからである。

これらと異なり、友人に「君は一番の友達だ」と告げる行為や、選挙の候補者が街頭で公約をスピーチする行為は、いずれも法律関係を作り出したいという意思を表明しているわけではないので、意思表示ではない。

ところで、「あなたにこの中古パソコンを10万円で売りたい」とか「あなたの中古パソコンを10万円で買おう」という意思表示がAまたはBからあっただけで契約という法律関係が成立するわけではない。契約という法律関係が成立するためには、Aによる申込みの意思表示とBによる承諾の意思表示が合致することが必要である（522条１項）。申込みと承諾の意思表示が合致してはじめて、売買契約が成立し、売主Aには、買主Bに対して目的物であるパソコンを引き渡す義務が発生し、買主Bには、売主Aに対して代金10万円を支払う義務が発生するのである（→【図表２-１】）。

【図表２-１】契約の成立と効果の発生

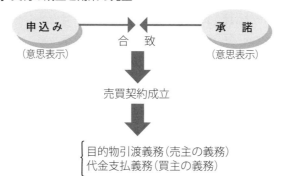

(2)　法律行為

　次に、法律行為とは、権利義務の発生や消滅などの効果を生じさせるもののうち、意思表示を構成要素とするものである。法律行為の代表例が契約である。例えば、パソコンの売買契約は、申込みと承諾という向かい合った２つの意思表示の合致により成立し、目的物引渡義務と代金支払義務を発生させるから、法律行為である。

　ちなみに、売買契約をしたにもかかわらず、目的物引渡義務や代金支払義務を果たさないでいると、義務を果たすことを、最終的には裁判所での訴訟において求められ、場合によっては強制執行という手続きで強制されることになる。このように、目的物引渡義務や代金支払義務には法律的な保障があるのだが、このような法律的保障のある効果のことを法律効果といい、その法律効果

を生じさせる一定の事実（ここでは売買契約）のことを法律要件という。

　法律行為の説明に戻ろう。法律行為には、２つの意思表示の合致によって成立する契約のほかにも、遺言のように、１つの意思表示だけで法律効果を生じさせるもの（これを単独行為という）や、会社の設立のように、同じ方向を向いた複数の意思表示が結合して成立するもの（これを合同行為という）がある。契約、単独行為、合同行為にはそれぞれの特徴があるため、別々に規定する仕方も考えられるが、民法は、共通のものはまとめるというパンデクテンの考え方（→第１章3(2)(c)）から、意思表示を構成要素とするという共通点に着目して、「法律行為」という概念のもとで、これらをひとくくりにしている（→【図表２-２】）。ただ、法律行為の多くは契約であるため、法律行為に関する説明は、契約を例にして行われることが多い。本書でも、主に契約を例にして、法律行為に関する規定を説明する。

【図表２-２】法律行為の種類

法律行為
- 契約（○→←○）：向き合った２つの意思表示で構成
- 単独行為（○→）：１つの意思表示だけで構成
- 合同行為（↑↑↑ ○○○）：同一の方向を向いた複数の意思表示で構成

2　契約の拘束力の根拠

　さきほど述べたように、上記のＡとＢの売買契約で、Ｂが代金を支払ったのに、Ａがパソコンを引き渡してくれなかった場合、当事者は、裁判所に訴えて「パソコンを引き渡せ」という判決を出してもらい、それでも約束を守ってくれない場合には、強制執行という手続きで、約束を果たすことを裁判所に強制してもらうことができる。約束をしても、いつ約束を破られるかわからないというのでは、安心して取引はできない。しかし、人間が生きていく以上、完全自給自足でもない限り、他人と取引をしないわけにはいかない。そこで、裁判所の強制力を背景に、安心して取引をできるようにしたのが契約という制度である。

　このように、約束した当事者が相互に合意の内容に拘束される行為が契約なのだが、そもそもなぜ契約に拘束されるのだろうか。これは古くから論争され

第２章　意思表示・法律行為 | **019**

ている法哲学上の難問であるが、ここでは、①自分が望んで約束したのだから、その約束を守るのは当然であるという理由と、②もし契約を破ってよいということになると、生活に必要な物やサービスが突然手に入れられなくなってしまいかねないという理由の2つを挙げておこう。

3　私的自治の原則と契約自由の原則

　このうち「自分が望んで約束したのだから、その約束を守るのは当然である」という考えの背後には、「人は、自らの法律関係を自らの意思により形成することができる」という原則がある。これを私的自治の原則という（→第9章Ⅰ）。私的自治の原則は民法の大原則で、私人間の法律関係に関しては、個人は、原則としてこれを自分で形成することができ、特段の理由のない限り、国家にも他の私人にも干渉されないということを意味する。要は、自分のことは自分で決めるということなのだが、例えば、自分の所有物を売るかどうか決められるのは自分だけで、他人が自分の所有物を売る契約を勝手に締結しても、それが自分の所有物でなくなってしまうことはない（ただし取引の安全を理由とした例外ルールもある）。

　この私的自治の原則が特に契約の場面で現れたものが、「個人は契約によって自由に法律関係を形成することができる」という契約自由の原則である（→第9章Ⅰ3）。さきほどの中古パソコンの売買で、代金10万円での中古パソコンの売買契約という法律関係が作り出される究極的な理由は、AとBの双方がそのような法律関係を作り出すことを欲したということに帰せられるのである。

Ⅱ　意思表示各論

1　意思表示の基礎知識

(1)　意思主義と表示主義

　この後説明する意思表示に関する民法の規定は、意思主義と表示主義という2つの考え方の組み合わせからできあがっている。なお、意思主義と表示主義は、法律行為の解釈（内容の確定）などさまざまなレベルで問題になるが、こ

こで説明するのは、意思表示の効力のレベルでの意思主義と表示主義について
である。

　まず、意思主義とは、表示に対応する意思がなければ、意思表示の効力は否
定されるという考え方である。この背後には、①「人は、自らの意思に基づい
てのみ、権利を得、義務を負う」、「意思がなければ、権利を失い、義務を課せ
られることはない」という意思原理と、②「意思表示をするかどうか、どのよ
うな内容の意思表示をするかは、自らの意思で決定する」という自己決定原理
がある。

　他方、表示主義とは、表示に対応する意思がなくても、意思表示の効力は否
定されないという考え方である。この背後には、①「表示に対する相手方の信
頼は、保護されなければならない」という信頼原理と、②「自ら表示を行った
以上、取引活動を迅速かつ円滑にできるようにするために、表示の意味が取引
社会のルールに従って理解されても仕方がない」という自己責任・取引安全の
原理がある（→【図表2-3】）。

【図表2-3】意思主義と表示主義

意思主義…表示に対応する意思がなければ、意思表示の効力は否定されるという考え方
表示主義…表示に対応する意思がなくても、意思表示の効力は否定されないという考え方

　「人は、自らの法律関係を自らの意思により形成することができる」という
私的自治の原則からすれば、意思主義を原則とするのが自然であろう。しか
し、外部から見ることのできない内心の意思の有無によって、意思表示の効果
があったりなかったりされてしまっては、相手方は安心して取引を行うことが
できない。そこで民法は、意思主義を原則としつつも、表示主義によって適宜
修正するという折衷的な立場をとっている。

(2)　意思表示の構造
　Ⅰ1(1)で述べたように、意思表示とは、一定の法律関係を作り出したいとい
う意思を外部に表示することである。ここでは、意思表示の構造を詳しく見て

いこう。

　民法の世界では、意思表示は、意思形成のプロセスに従って、心理学的に分析されており、「動機→内心的効果意思→表示意思（表示意識ともいう）→表示行為」から成り立つものとされている。例えば、300円でソフトクリームを買う申込みの意思表示を行う場合、動機は、「今日は暑いから冷たいものを食べたいなあ」とか「疲れたから甘いものを食べてひとやすみしたいなあ」というものであり、内心的効果意思は、「あの屋台のおじさんと300円でソフトクリームの売買契約を締結しよう」というものであり、表示意思は、「あの屋台のおじさんに『300円のソフトクリームを1つ下さい』と言おう」というものであり、表示行為（ここでは申込み）が、「300円のソフトクリームを1つ下さい」という発言である（→【図表2-4】）。

【図表2-4】意思表示の構造

> 動機…「今日は暑いから冷たいものを食べたいなあ」
> 内心的効果意思…「あの屋台のおじさんと300円でソフトクリームの売買契約を締結
> 　しよう」
> 表示意思…「あの屋台のおじさんに『300円のソフトクリームを1つ下さい』と言お
> 　う」
> 表示行為…「300円のソフトクリームを1つ下さい」

(3)　内心的効果意思と動機の区別

　これら4要素のうち、特に初学者には、内心的効果意思と動機の区別が難しく感じられると思う。内心的効果意思とは、その意思表示によって最終的に認められる法律効果に対応する意思をいい、それ以外の内心的事情はすべて動機である。上記の例では、売買契約のメインの法律効果は財産権移転義務と代金支払義務の発生であるから（555条）、「あの屋台のおじさんから300円でソフトクリームを購入する」というのが内心的効果意思である。

　売買契約以外の契約において何が内心的効果意思かを知るためには、契約各論を扱う授業で、各種の契約が成立するとどのような法律効果が発生するのかを勉強しなければならないが、各種の契約から生じる法律効果のメインの部分

に関しては、各種契約に関する条文の先頭（冒頭規定という）に規定されている。自宅の外壁の塗装に関する契約（請負契約）を業者と結ぶ場合であれば、請負契約のメインの法律効果は仕事完成義務と報酬支払義務の発生であるから（632条）、これに対応する意思が効果意思となる。これに対して「自宅の外壁をきれいにしたいなあ」などというのは動機である。

このように解すると、内心で思った事柄のうち、内心的効果意思とされるものは非常に限られたものになってしまう。実はこのことには実践的な意味があるのだが、それについては4(3)で解説する。ここではまず、両者の区別について知ってほしい。

(4) 意思表示に関する諸規律の構成

(a) 意思の不存在

2以下では、いよいよ、意思表示に関する民法の諸規定について解説する。それに先立って、意思表示に関する諸規定の全体構造を概観しておこう。

意思主義の考え方によれば、意思表示に効力が認められるのは、表示に対応する内心的効果意思が存在するからである。このことから、意思表示に関する規定は、表示に対応する内心的効果意思が存在する場合と、存在しない場合とに分かれる。

まず、表示に対応する内心的効果意思が存在しない場合について、民法は、このような場合すべてを単純に無効とはせずに、この場合をさらに、意思表示をした者が効果意思の不存在を知っている場合（心裡留保〔93条〕・通謀虚偽表示〔94条〕）と、意思表示をした者が効果意思の不存在を知らない場合（意思欠缺錯誤〔95条1項1号〕）の2つの場合に分けて、相手方の保護や取引の安全を考慮して、きめ細かいルールを定めている。

なお、用語の問題として、表示に対応する内心的効果意思が存在しない場合のことを、意思の不存在とか、意思の欠缺ということも、ここで知っておこう。

(b) 瑕疵ある意思表示

つぎに、表示に対応する内心的効果意思が存在する場合である。この場合は、法律効果を発生させたいという意思が存在するので、特に問題はないよう

第2章 意思表示・法律行為 **023**

に思われる。しかし、民法は、その内心的効果意思が動機面での重大な勘違いや詐欺・強迫によって作り出されたものであった場合について、表意者に意思表示を取り消すことができる権利を与えている（基礎事情錯誤〔95条1項2号〕、詐欺・強迫〔96条〕）。動機面での重大な勘違いや詐欺・強迫によって意思表示をした者を保護するためである。これらの場合を、意思の不存在と区別して、瑕疵ある意思表示という。では、以上を表にまとめて、意思表示に関する民法の諸規定の全体構造を見てみよう（→【図表2-5】）。

【図表2-5】意思表示に関する諸規定の全体構造

表示に対応する内心的効果意思が存在しない場合（意思の不存在、意思の欠缺）

　　表意者が内心的効果意思の不存在を知っている場合
　　　＝心裡留保（93条）、通謀虚偽表示（94条）
　　表意者が内心的効果意思の不存在を知らない場合
　　　＝意思欠缺錯誤（95条1項1号）

表示に対応する内心的効果意思が存在する場合

　　意思の形成過程に重大な勘違いや違法な働きかけがあった場合（瑕疵ある意思表示）
　　　＝基礎事情錯誤（95条1項2号）、詐欺・強迫（96条）
　　意思の形成過程に重大な勘違いや違法な働きかけがなかった場合
　　　＝規定なし

2　心裡留保

(1)　心裡留保の意義と原則

93条1項本文によれば、表意者が真意でないことを知ってした意思表示であっても、その効力が妨げられることはない。真意でないとは、表示に対応する内心的効果意思がないことをいい、そのことを表意者が知っていたということだから、端的にいうと、ウソあるいは（相手方にも当然わかるだろうなどと思って）冗談をいうことである。例えば、どうせお金の用意なんかできないだろうと思って、売るつもりもないのに、AがBに「この中古パソコンを10万円で売ってやっていい」といい、Bがこれに承諾したような場合である。この場合

のAの申込みの意思表示を心裡留保という。

　意思主義の立場からすると、表示に対応する内心的効果意思がなければ、意思表示の効力は否定されるはずであるから、Aの申込みの意思表示は無効であり、Bがそれに承諾しても、パソコンの売買契約は無効となるはずである。

　しかし、内心的効果意思が実際にあるかないかは外部からは見えないため、ウソあるいは冗談と見抜けなかったBがパソコンを安く売ってもらえると期待して、あちこちからお金を集めてくるかもしれず、その際には、交通費や借金の利息などがかかるかもしれない。AとBの利益を比較すると、ウソあるいは相手方に誤解されるような冗談を言った者よりそれを信じた者のほうを保護すべきである。

　そこで民法は、ここでは表示主義の立場に立って、内心的効果意思の存在しない心裡留保による意思表示であっても、原則として有効であるとした。相手方としては表示を信じるほかないため、その信頼を保護する必要があるし、表意者としても、真意と異なる表示をわざわざしている以上、不利益を被ってもやむをえないからである。したがって、上記の例では、Aの申込みの意思表示は93条1項本文により有効であり、AB間の売買契約も有効となる。

(2)　例外的な無効

　しかし、表意者に内心的効果意思がないことを相手方が知っているのであれば、相手方の信頼を保護するために、意思表示を有効とする必要はない。そこで93条1項ただし書は、表示に対応する内心的効果意思がないことを相手方も知っている、または知ることができたときは、意思表示は無効になると定める。

　このような場合には、意思主義に戻って、表示に対応する内心的効果意思が存在しないことを理由に、意思表示は無効とされるのである。上記の例では、パソコンを売るなんて冗談だとBがわかっていた、あるいは誰でも冗談だとわかる状況だった場合には、Aの申込みの意思表示は93条1項ただし書により無効であり、AB間の売買契約も無効となる。

(3) 第三者保護規定

次のような事例の場合は、どのように考えたらよいだろうか。AがBに対して、本当は売るつもりもないのに、「この中古パソコンを10万円で売ってやっていい」と言った。ただ、それまでのAとBの関係や発言の状況などからすると、Aにパソコンを売るつもりがないのは、誰にでもわかるものであった。ところが、Bは軽率にもこの申込みを信じて承諾し、さらにその後、知り合いのCとの間でパソコンを11万円で転売する契約を締結した。Cはこのパソコンを手に入れられるのだろうか（→【図表2-6】）。

【図表2-6】心裡留保と第三者

Aの申込みの意思表示に内心的効果意思がないことは、誰にでもわかるものであった。つまり、Bにとっても知ることができたということだから、93条1項ただし書により、Aの申込みの意思表示は無効となり、その結果、AB間の売買契約も無効となる。そうだとすると、Bはパソコンの所有権を手に入れられないので、Bから購入したCも、パソコンの所有権を手に入れることはできないということになりそうである。

しかし、この結論は、Aの意思表示が心裡留保であることを、Cが知らなかった場合には、Cにとって予想外の結論となる。Cにとっては、Bがパソコンをどこから購入したかなど知らないことが多いだろうし、ましてやAの意思表示が心裡留保であったかどうかなど、確かめようがないからである。そこで、93条2項は、「前項ただし書の規定による意思表示の無効は、善意の第三者に対抗することができない」と定めている。

ここで、善意とは、Aの意思表示が心裡留保であることを知らないことをいい、対抗するとは、主張するという意味である。さきほどの事例では、Aの意思表示が心裡留保であることをCが知らない場合には、Aは自己の意思表示の無効をCに主張できず、その結果、Cは、パソコンの所有権を手に入

れることができる。

　なお、善意や第三者の意義についての詳しい説明は、通謀虚偽表示の場合の第三者保護規定に関する説明と共通するので、そちらを参照してほしい（→ 3 (2)）。

> 　「善意」の人は親切な人？
> 　民法では、事情を知らない者は保護するとか、事情を知っている者は保護しないという考え方が、あちこちで出てくる。法律用語では、事情を知らないことを「善意」、事情を知っていることを「悪意」という。善意といっても、日常用語の親切だとか好意的だといった意味ではないし、悪意といっても、他人に害を加えようとする気持ちではないので気をつけてほしい。ちなみに、他人に害を加えようとする気持ちのことを、法律用語では、「害意」という。

3　通謀虚偽表示

(1)　通謀虚偽表示の意義と原則

　心裡留保が、表意者が自分一人で、内心的効果意思のない意思表示を行う場合だったのに対して、通謀虚偽表示とは、表意者が相手方と通謀して、内心的効果意思のない意思表示を行う場合である（94条。1項の「虚偽の意思表示」とは、心裡留保と同じく、内心的効果意思のない意思表示という意味である）。この場合には、当事者のどちらにも表示どおりの効果を生じさせる意思がなく、少なくとも当事者間ではこれを有効とすべき理由がそもそもないことから、意思表示は原則として無効となる（この点が、意思表示が例外的にのみ無効とされる心裡留保との違いである）。ここでは、民法は、意思主義の立場に立っている。

　通謀虚偽表示の例として教科書や例題でしばしば挙げられるのは、財産が差し押さえられてしまうのを免れるために、財産を仮装譲渡するという事例である。例えば、次の事例は、94条によってどのように解決されるだろうか。

　Aは、Dからの借金を返済するめどが立たなくなり、このままでは自分の所有する甲土地がDに差し押さえられてしまうと考え、知り合いのBに相談した。するとBは、「形だけでもAが甲土地をBに売ったことにしておけば、

第2章　意思表示・法律行為　**027**

Dからの差押えを免れられる」というので、Aはこれに従い、Bと（虚偽の）売買契約を行い、土地の登記名義もBにした。その後、事業が好転し、Dへの借金を返済したAがBに甲土地を返すように求めたところ、Bは返還に応じてくれない。Aは甲土地を取り戻すことができるだろうか（→【図表2-7】）。

【図表2-7】通謀虚偽表示

この事例では、AおよびBの意思表示は通謀虚偽表示であり、94条により無効となるため、売買契約も無効となる。その結果、甲土地の所有権はAからBに移転せず、依然としてAにある。よって、AはBから甲土地を取り戻すことができる。

> **不動産登記**
> 　不動産登記とは、所有権や抵当権などの不動産に関する権利（物権）の所在や変動を、外部から認識できるようにするために作られた登記簿の記載をいう。このようにしておかないと、第三者が、誰にどのような物権が属するかを知らずに取引に入り、不測の損害を被るおそれがあるからである。わが国では土地と建物は別の不動産とされており、それぞれについて登記簿が作られている。不動産登記は、かつては帳面（紙媒体）に記載されていたが、現在では電子化されている。不動産登記制度について、詳しくはNBS『物権法』の第3章Ⅱおよび第4章Ⅴを参照してほしい。

(2) 第三者保護規定

　今の例で、AがBに甲土地を返してくれるよう求めたところ、Bは、登記が自分名義になっているのをいいことに、甲土地を自分のものとして、Cに売ってしまっており、登記もC名義にしていた。AはCから甲土地を取り戻すことができるだろうか。

【図表 2 - 8】通謀虚偽表示と第三者

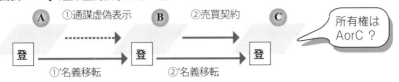

　このケースで通謀虚偽表示は無効という原則を貫くと、A および B の意思表示は無効→売買契約は無効→甲土地の所有権は A から B に移転せず、B は無権利者→B から譲り受けた C も無権利者（無から有は生じないから）→所有者である A は C から甲土地を取り戻せる、という結論になりそうである。

　しかし、この結論は妥当ではない。特に C が B を所有者だと信じていた場合には、そのような C と通謀虚偽表示を自ら行った A とを比べると、C のほうが保護に値するのは明らかである。そこで民法は94条 2 項で、「前項の規定による意思表示の無効は、善意の第三者に対抗することができない」と定めている。

　「善意」とは、ここでは通謀虚偽表示であることを知らないことであり、「対抗」とは、主張するという意味である。したがってこの条文は、「通謀虚偽表示をした者は、通謀虚偽表示の無効を、通謀虚偽表示であることを知らない第三者には主張できない」という意味になる。

(a) 第三者

　94条 2 項にいう第三者とは、判例によれば、94条 2 項によって保護するに値する人という観点から、「虚偽表示の当事者およびその一般承継人（相続人のように権利義務を一括して引き継ぐ人──筆者注）以外で、虚偽表示に基づいて作出された仮装の法律関係につき、新たに独立の法律上の利害関係を有するに至った者」と定義されている。その代表例が、通謀虚偽表示の後に目的物につき物権を取得した者である。図表 2 - 8 の C のほか、B を所有者と信じて、B に融資をし、その際に、甲土地を担保にして抵当権の設定を受けた抵当権者が典型例である。

(b) 善意

　「善意」とは、通謀虚偽表示があったことを知らないことをいうが、第三者が利害関係を有するに至った時点で善意であればよく、その後に虚偽表示があ

ったことを知ったとしても本条にいう善意であることに変わりはない。

　また、虚偽表示があったことを知らなかったことについて第三者に過失があった場合、すなわち、取引上必要とされる注意を払えば虚偽表示があったことを知ることができた場合でも、善意でさえあれば、第三者は保護されるとするのが判例および通説である。その理由としては、民法は、94条2項については「善意」としか書いておらず、第三者に無過失まで必要である場合は、95条4項や96条3項のように、その旨を条文に書いていること、通謀虚偽表示をして虚偽の外観を作出した表意者の帰責性は大きいことが挙げられる。

(3) 94条2項類推適用
(a) 類推適用とは

　ところで、次のような事例で、94条2項は使えるだろうか。Aは、Dから甲土地を購入した（これにより所有権がDからAに移転する）。しかし、税金対策を考えたAは、息子Bと相談のうえ、形式上BがDから直接買ったことにして、D名義からB名義へと所有権移転登記を行った。ところがBは、登記が自分名義になっていることをいいことに、以上の事情を知らないCに甲土地を売却し、移転登記を行った。AはCから甲土地を取り戻すことができるだろうか（→【図表2-9】）。

【図表2-9】94条2項の類推適用

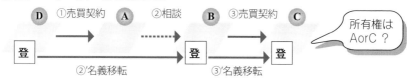

　AとBが相談して虚偽の登記名義を作出し、それを信頼したCが甲土地を購入したということだから、一見すると、94条2項を適用することができそうにも見える。しかし、94条2項は通謀虚偽表示が行われた場合の善意の第三者保護のための規定であって、図表2-9では、AB間に通謀はあるけれども、AB間で売買契約が結ばれたわけではない（＝AB間には申込みあるいは承諾の意思表示がない）ため、94条2項を適用することはできない。だが、虚偽の外観を意図的に作り出したAは、通謀虚偽表示の場合と同じように不利益を被っ

ても仕方ないし、AB間に通謀虚偽表示があったかどうかで、第三者Cの保護の必要性に差があるとも思われない。

そこで判例は、このような場合に、94条2項を類推適用して、第三者Cを保護しようとしている。類推適用とは、このような、ある規定を直接に適用することはできないけれども、その規定が直接対象としている事柄との間に本質的な類似性が認められる場合には、その場合にも当該規定を用いて解決を図ることをいう。

(b) 権利外観法理

では、94条2項がそのまま適用される図表2-8のような場合と図表2-9の場合との間には、どのような点で本質的な類似性があるのだろうか。これを考えるために必要なのが、権利外観法理という理論である（→第9章Ⅱ1）。

94条2項は、権利外観法理の表れであるといわれる。権利外観法理とは、真の権利者が虚偽の外観を作出した場合には、その外観を信頼した者を保護するために、外観どおりの効果を認めるという考え方である。民法にこれを直接に定めた条文は存在しないが、94条2項のほか、表見代理の規定（109条、110条、112条）、192条（即時取得）、478条（受領権者としての外観を有する者に対する弁済）といった規定は、この法理の表れであるとされる。

この権利外観法理は、さらに詳しくみると、虚偽の外観が作出された場合は、作出された虚偽の外観を信頼した第三者を保護する必要があるという信頼保護の考え方と、真の権利者が虚偽の外観の作出に関与した場合は、自ら真実と異なる外観を作出した以上、真の権利者が不利益を被っても仕方がないという帰責性の考え方の2つの考え方からできあがっており、上記の諸規定も、この2つの要素を組み合わせた規定になっている（ただし、場面や状況に合わせて、それぞれの規定で、要件は少しずつ異なっている）。

(c) 94条2項を類推適用する際の考え方と要件

94条2項がそのまま適用される図表2-8のような場合と図表2-9の場合との間の本質的類似性を検討する際には、94条2項の背後に存在する権利外観法理、さらには信頼保護と帰責性の考え方に遡って考えることになる。

すなわち、図表2-9では、AB間に意思表示はないので、94条2項を適用することはできない。しかし、94条2項の本質部分は権利外観法理にあり、権

利外観法理を構成する信頼保護や帰責性の考え方に照らして考えると、登記簿上には「Bが権利を譲り受けた」という記載があり、この（虚偽の）外観を信じた第三者Cを保護する必要があるし（信頼保護）、権利者Aは、真実と異なる外観を自ら作り出した以上、それによって不利益を被っても仕方がないといえる（帰責性）。このように権利外観法理に照らして考えると、それを構成する2つの考え方が同じように当てはまるという点で、94条2項がそのまま適用される図表2-8の場合と図表2-9の場合には、本質的な類似性があるということができる。このような場合には、図表2-9の場合も、94条2項における第三者と同じように（＝虚偽の外観を実在のものとして）取り扱うことが要請される。

94条2項類推適用については現在までに多くの判例が出されており、既に確立した法理であるが、判例の展開の中で、次のような要件が必要だとされている（→【図表2-10】）。

【図表2-10】94条2項類推適用の要件

①虚偽の外観の存在
②虚偽の外観の発生に対する本人（権利を失う人）自身の帰責性
③虚偽の外観に対する第三者（権利を手に入れる人）の正当な信頼

現在では、判例は、本人が虚偽の外観を意図的に作りだした（あるいは虚偽の外観を積極的に放置して黙認した）場合以外でも、94条2項類推適用を用いて、その外観を信頼して取引を行った第三者の保護を図ろうとしており、次第にその適用範囲が広がっている。

(d) 動産の場合

94条2項類推適用は、主に不動産取引で用いられており、動産取引の場面では活躍することが少ない。これは、動産取引については、192条によって第三者の保護が手当てされているためである。

192条は「取引行為によって、平穏に、かつ、公然と動産の占有を始めた者は、善意であり、かつ、過失がないときは、即時にその動産について行使する権利を取得する」と定めている。詳細はNBS『物権法』第5章Ⅱで説明されるが、前の持主を本当の所有者だと過失なく信じて動産を購入し占有を始めた

者は、前の持主が実は無権利者だったという場合（所有者から預かっているだけ
の物を自分が所有者であるかのように振る舞って売った場合など）でも、その動産の
所有権を手に入れることができるという制度である。このようにして、日常頻
繁に行われる動産取引の安全が図られているのである。この制度を即時取得と
いう。

　動産取引の場面でも94条2項類推適用を用いることは可能だが、即時取得の
制度があるために、その活躍場面はきわめて少ない。これに対して、不動産に
関しては、即時取得のような規定がないため、登記を信頼して土地を購入した
第三者を保護するための法理が必要とされ、形成されたのが、94条2項類推適
用の法理なのである。

4　錯誤

(1)　2種類の錯誤

　95条によれば、錯誤による意思表示は、一定の要件のもとで取消すことが可
能である。ただし、錯誤といっても、さまざまな場面が考えられる。95条1項
は、「意思表示に対応する意思を欠く錯誤」（本書では「意思欠缺錯誤」という。95
条1項1号）と、「表意者が法律行為の基礎とした事情についてのその認識が事
実に反する錯誤」（本書では「基礎事情錯誤」という。95条1項2号）という、性質
の異なる2種類の錯誤について定めている。

　意思欠缺錯誤と基礎事情錯誤の両者を含む「広義の錯誤」の定義づけとして
は、錯誤とは、不注意や情報不足などによって行われた不本意な意思表示を意
味するものと考えることができる（→【図表2-11】）。

【図表2-11】95条1項の錯誤

広義の錯誤	意思欠缺錯誤（95条1項1号）
	基礎事情錯誤（95条1項2号）

(2)　錯誤の種類①─意思欠缺錯誤（95条1項1号）

(a)　表示上の錯誤

　まず、95条1項1号の意思欠缺錯誤とは、表示に対応した内心的効果意思が

存在せず、かつ、そのことを表意者が知らない場合をいう。その典型例が表示上の錯誤、つまり、書き間違いや言い間違いである。

　例えば、300円でソフトクリームを買う申込みの意思表示をしようと思っていたのに、間違って、アイスクリームを買う申込みの意思表示をしてしまった場合を考えよう。この例を、Ⅱ1(2)で学習した意思表示の構造に従って分析すると、以下のようになる（→【図表2-12】）。

【図表2-12】表示上の錯誤の場合の意思表示の構造

> 内心的効果意思…「あの屋台のおじさんと300円でソフトクリームの売買契約を締結しよう」
> 表示意思…「あの屋台のおじさんに『300円のソフトクリームを1つ下さい』と言おう」
> 表示行為…「300円のアイスクリームを1つ下さい」

　ここでは一見して、内心的効果意思と表示が食い違っている。このような意思欠缺錯誤があった場合、その錯誤が法律行為の目的および取引上の社会通念に照らして重要なものであるなどの一定の要件のもとで意思表示の取消しが可能だが、それら他の要件については(4)で説明することにして、ここではまず、表示に対応した内心的効果意思が存在せず、かつ、そのことを表意者が知らない場合が意思欠缺錯誤であることを理解しよう。

(b)　内容の錯誤、同一性の錯誤

　意思欠缺錯誤には、表示されたものの意味や内容を誤解している内容の錯誤というものもある。いささか教室設例的だが、よく挙げられる例としては、ドルとポンドは同一価値の通貨であると誤解していたために、100ドルと契約書に書くべきところを、100ポンドと契約書に記入した場合がある。ここでは、「100ドル相当額で買おう」という内心的効果意思を持ちながら、「100ポンドで買います」という表示をしており、内心的効果意思と表示に食い違いが存在する。

　意思欠缺錯誤としては、さらに、同一性の錯誤というものもある。例えば、甲土地を購入する契約をしたところ、甲土地だと思っていたのはその南側の乙土地のことで、実際の甲土地は、北側の日当たりの悪い土地であることが明ら

かになったというような場合である。目的物の取り違いや人違いのことである。ここでは、「この日当たりのよい土地（実は乙土地）を買おう」という内心的効果意思を持ちながら、「甲土地を買います」という表示をしており、内心的効果意思と表示に食い違いが存在する。

(3) 錯誤の種類②─基礎事情錯誤（95条1項2号）

続いて、基礎事情錯誤の説明に移ろう。95条1項2号の基礎事情錯誤とは、内心的効果意思と表示の間に不一致はないが、表意者が法律行為の基礎とした事情について、その認識に錯誤があった場合である。つまり、表意者の認識と現実との間に食い違い（思い違い）があったために不本意な意思表示をしてしまった場合である。

例えば、近々付近に高速道路が通ると信じて、二束三文の甲山林を1億円という高値で購入する契約を締結したが、その後、高速道路の開通は単なるうわさ話にすぎないことが判明したという場合を考えよう。この場合を意思表示の構造に従って分析すると、以下のようになる（→【図表2-13】）。

【図表2-13】基礎事情錯誤の場合の意思表示の構造

> 動機…「近々甲山林の付近に高速道路ができる予定になっている」
> 内心的効果意思…「甲山林を1億円で買おう」
> 表示意思…「『甲山林を1億円で買います』と言おう」
> 表示行為…「甲山林を1億円で買います」

ここでは、内心的効果意思も表示も、どちらも甲山林を1億円で購入することに向けられており、食い違いは存在しないため、95条1項1号の意思欠缺錯誤は問題とならない。しかし、二束三文の山林を1億円という高値で購入する意思表示をした動機は、「近々甲山林の付近に高速道路ができる予定になっている」と誤信したからに他ならず、もしはじめから、高速道路建設がうわさ話にすぎないと知っていたとしたら、少なくともこのような高値では購入しなかっただろう。基礎事情錯誤とは、このような動機レベルでの錯誤を意味する。

実は本来、錯誤とは、意思欠缺錯誤のことだけを意味し、動機レベルでの錯誤は含まなかった。人の内心は外からは見えないので、Ⅱ1(3)で見たように内

心的効果意思とされるものを大幅に限定した上で、内心的効果意思と表示の食い違いというごくまれな場合に限って、意思表示を取消すことができることにして、相手方を保護しようとしたのである。

しかし、現実社会においては、錯誤のほとんどはむしろ動機レベルでの錯誤であるし、その動機が意思表示をするにあたってきわめて重要であることも決して少なくない。動機レベルでの錯誤を一切考慮しないのでは、表意者にとってあまりに酷である。

そこで、民法は、動機レベルでの、法律行為の基礎とした事情についての錯誤も95条の錯誤に含めることとした上で、相手方の保護との調整の見地から、その事情が法律行為の基礎とされていることが表示されている場合に限って、意思表示を取り消すことができるとしたのである（95条2項）。

平成29年（2017年）の民法改正前の判例だが、協議離婚にともなう財産分与契約に関して、夫が、分与を受ける妻に課税がなされると考えて、自己の不動産の全部を妻に分与したところ、後日になって、2億円余の譲渡所得税が分与者である夫に課されることが判明したという事案で、財産分与契約の際に妻も自己に課税されるものと理解しており、課税負担についての動機は妻に黙示的に表示されて法律行為の内容となっていたとして、錯誤無効（当時は錯誤の効果は無効だった）を認めたものがある（最判平成元・9・14家月41巻11号75頁）。現行法のもとでも、同様の事案では、基礎事情錯誤として取消しが認められるものと思われる。

(4) 錯誤の効果は取消し

95条1項は、意思欠缺錯誤と基礎事情錯誤の双方につき、錯誤による意思表示は取り消すことができるとしている。ただ、ここまで心裡留保や虚偽表示についてしっかり勉強してきた賢明な読者は既に見抜いているかもしれないが、意思欠缺錯誤については、理論的にはむしろ無効という効果が一貫する。意思主義の立場からすると、表示に対応する内心的効果意思がないのであれば、意思表示の効力は無効となるはずだからである。それにもかかわらず錯誤の効果が取消しとなっているのは、いったいどうしてなのだろうか。

実は、平成29年（2017年）の民法改正前は、錯誤の効果は無効とされていた。

しかし、政策的にみると、錯誤というのは、錯誤による意思表示をした表意者を保護するための制度だから、誰でもが効力の不存在を主張できる無効よりも、効力を否定するかどうかを表意者が決められる取消しのほうが望ましい。実際、表意者に錯誤無効を主張する意思がない場合に、相手方や第三者から無効を主張することは原則としてできないとする判例も存在した。

しかも現在の民法では、基礎事情錯誤も、錯誤の中に含められている。基礎事情錯誤の場合は、表示に対応する内心的効果意思が存在するため、理論的には無効とならない。以上のようなことから、意思欠缺錯誤・基礎事情錯誤ともども、錯誤の効果は取消しとされたのである。

(5) 錯誤による取消しの要件

錯誤に基づく意思表示の取消しの要件は、意思欠缺錯誤と基礎事情錯誤とで異なっている。分けて説明しよう。

(a) 意思欠缺錯誤による取消しの要件

意思欠缺錯誤に基づく意思表示を取り消すための要件は、以下のとおりである（→【図表2-14】）。なお、取り消さない限り意思表示は有効だから、取消しによって無効だと主張するためには、④の取消しの意思表示をしなければならないことに注意が必要である。

【図表2-14】意思欠缺錯誤による取消しの要件

①意思表示が意思欠缺錯誤に基づくこと
②錯誤が法律行為の目的および取引上の社会通念に照らして重要なものであること
③表意者に重大な過失がないこと
④表意者による取消権の行使

（ⅰ）意思表示が意思欠缺錯誤に基づくこと　　意思欠缺錯誤の意義については既に説明したとおりであるが、錯誤取消しを主張するには、その錯誤がなければ、表意者は意思表示をしなかったであろうという関係が必要である（因果関係）。

（ⅱ）錯誤の重要性　　意思欠缺錯誤とは、内心的効果意思と表示の食い違いであり、しかも表意者自身もその食い違いに気付いていない。そのため、意思

欠缺錯誤による意思表示を有効としてしまうと、表意者にとって予期しない効果が生じてしまう可能性がある。しかし、だからといって、意思欠缺錯誤による意思表示はすべて取消しができるとしてしまうと、今度は相手方に不測の不利益が生じる可能性がある。相手方からは、表意者の内心を見ることはできないからである。

最終的には、表意者の保護と相手方の保護の調整という政策的な問題なのだが、民法は、特に相手方の保護を重視して、内心的効果意思の範囲を限定して意思欠缺錯誤が生じる範囲を絞るだけでなく、さらに、その意思欠缺錯誤が「法律行為の目的及び取引上の社会通念に照らして重要なものである（こと）」も必要であるとした（95条1項柱書）。これにより、取り消すことのできる範囲はかなり限定されることになり、それだけ、取引の安全を重視した制度になっていることがわかる。

「法律行為の目的及び取引上の社会通念に照らして重要なものである（こと）」とは、その錯誤がなければ、通常一般人は意思表示をしなかったであろうと考えられることを意味する。例えば、消費貸借契約において借主を勘違いしてお金を貸した場合を考えてみよう（同一性の錯誤）。この場合、借主に借金を返済する資力があるかどうかは、貸主一般にとってきわめて重要である。これとは逆に、消費貸借契約において貸主を勘違いしてお金を借りた場合、貸主が誰であっても、借主は借金を返済しなければいけないのだから、貸主が誰であるかは、借主一般にとって重要なことではない。

(iii) 表意者に重大な過失がないこと　ここでも、表意者の保護と相手方の信頼保護との調和という観点から、錯誤が表意者の重大な過失によるものであったときは、表意者は意思表示を取り消すことができないとされている（95条3項）。「重大な過失」とは、錯誤に陥ったことにつき、当該事情のもとで通常人に期待される注意を著しく欠いていることをいう。このように著しく注意を欠いた表意者を、相手方の犠牲において保護する必要はないからである。

これに対して、表意者に重大な過失があっても、表意者に錯誤があることを相手方が知り、または知らないことに重大な過失がある場合には、相手方には保護されるべき信頼がない。したがってこの場合は、たとえ表意者に重大な過失があっても、表意者は錯誤による取消しを主張できる（95条3項1号）。

また、相手方も表意者と同じ錯誤に陥っていた場合には、意思表示の効力を維持して保護すべき利益を相手方がもっているとはいえない。したがってこの場合も、たとえ表意者に重大な過失があっても、表意者は錯誤による取消しを主張できる（95条3項2号）。

　なお、重大な過失の立証責任については、重大な過失の存在が立証されると利益を受ける相手方が、「表意者に重大な過失が存在すること」を立証する責任を負う。

　(iv)　取消権の行使　　前述したように、現在の民法では、錯誤の効果は取消しである。取消さない限り、意思表示は有効である。取消権を行使することによってはじめて、意思表示そして法律行為は無効となる。

　(b)　基礎事情錯誤による取消しの要件

　基礎事情錯誤による取消しの要件は、①意思表示が基礎事情錯誤に基づくこと、②その錯誤が法律行為の目的および取引上の社会通念に照らして重要なものであること、③当該事情が法律行為の基礎とされていることが表示されていたこと、④表意者に重大な過失がないことである（→【図表2-15】）。ここでも、取消しによる無効を主張するためには、⑤表意者による取消権の行使が必要であるのは、意思欠缺錯誤による取消しと同様である。以上のうち、①②④⑤については既に述べたので、③の「表示」について説明しよう。

【図表2-15】基礎事情錯誤による取消しの要件

> ①意思表示が基礎事情錯誤に基づくこと
> ②錯誤が法律行為の目的および取引上の社会通念に照らして重要なものであること
> ③当該事情が法律行為の基礎とされていることが表示されていたこと
> ④表意者に重大な過失がないこと
> ⑤表意者による取消権の行使

　前述したように、錯誤とは本来、内心的効果意思と表示の不一致（意思欠缺錯誤）を意味し、動機レベルの錯誤である基礎事情錯誤を含まなかった。しかも、内心的効果意思の範囲はきわめて狭く考えられ、さらに、意思欠缺錯誤が法律行為の目的および取引上の社会通念に照らして重要なものであることも要求され、意思表示を取り消すことができる場合はきわめて限定されていた。こ

第2章　意思表示・法律行為　**039**

れには、取消可能な場面をなるべく制限して、取引の安全を図るという実践的な狙いがあった。

その後、現実への対処の必要性から、動機レベルでの錯誤である基礎事情錯誤をも錯誤として認めざるを得なくなったが、ここで取消しの範囲を広く認めてしまうと、せっかく錯誤の範囲を限定して取引の安全を図ろうとした趣旨が害されてしまう。

そこで、95条2項は、基礎事情錯誤の要件として、その錯誤が法律行為の目的および取引上の社会通念に照らして重要なものであることに加えて、さらに、「当該事情が法律行為の基礎とされていることが表示されていたこと」をも必要とした。「表示」を要求することにより、予期せぬ取消しを主張されかねない相手方の保護を図ろうとしたのである。

「基礎とされていることが表示されていた」の意味

(3)の末尾で挙げた判例が示すように、平成29年（2017年）の民法改正前の判例は、動機レベルの錯誤を理由に無効が認められるための要件として、当事者の動機が表示されて法律行為の内容になっていることを要求していた（表示だけでは足りないとする判例もあった）。民法改正に際して、どのような表現を採用するかが議論されたが、「法律行為の内容になった」の意味について争いがあったために、この表現は条文上は採用されなかった。しかし、改正法は、従来の判例の趣旨を変えるものではないとも説明されており、そのため、「法律行為の内容になった」の意味についての争いは、「基礎とされていることが表示されていた」の意味へと形を変えて続いている。この議論の行方は、今後の学説判例によって定まっていくものと思われるが、本書は、表意者の行為態様のほか、相手方の行為態様、当事者の属性（消費者か事業者かなど）、当事者の情報収集能力の差、表意者と相手方双方の錯誤の除去可能性、錯誤があった場合の取扱いを契約書に定めることができたかなどを総合的に考慮して、法律行為が取り消される不利益を相手方に負担させてよいかが判断されるものと考えている。

040

(6) 錯誤による取消しの効果

(a) 取消しの効果

錯誤による取消しの効果として、当該意思表示ははじめに遡(さかのぼ)って無効と扱われる（121条）。これを取消しの遡及効(そきゅうこう)という。意思表示がはじめに遡って無効とされる結果、契約も始めから無効となり、契約がまだ履行されていない場合には、相手方がその履行を求めてきても、その履行請求を拒絶できる。また、契約が既に履行されている場合でも、相手方に対して、既に履行した給付の返還を請求することができる（121条の2第1項）。なお、双方ともに返還すべきものがある場合には、同時履行の関係にたち、相手方が返還してくれない限り自分のものの返還を拒むことができる（533条類推）。

(b) 第三者との関係

錯誤による意思表示の取消しは、善意無過失の第三者に対抗することができない（95条4項）。同様の規定が、詐欺についても設けられているので（96条3項）、意思表示の取消しと第三者として、7でまとめて説明する。

5　詐欺

96条によれば、詐欺による意思表示、つまり騙(だま)されて行った意思表示は、取り消すことができる。取り消すと意思表示は無効になる。この結論は、一般常識にも合致すると思われるが、以下でもう少し詳しく見ていくことにしよう。

(1) 効果はなぜ取消しなのか

詐欺による意思表示は、無効とはならず、取り消すことができるにとどまる（取消さなければ有効である）。ここでは、意思の欠缺と瑕疵ある意思表示の違いを復習するとともに、詐欺の場合の効果がなぜ取消しになっているのかを説明しよう。次の事例をみてほしい。

Bは、自己が所有する二束三文の土地を、Aに対して、近々リゾート開発の対象となることに決まっておりまたたく間に値段が上がるだろうと虚偽の事実を述べて、時価よりはるかに高い値段で売却した。Aは、Bによる詐欺を理由としてこの売買契約を取り消すことができるだろうか。典型的な原野商法だが、Aの内心を意思表示の構造に従って分析すると以下のようになる（→【図

第2章　意思表示・法律行為　**041**

表2-16】)。

【図表2-16】詐欺の場合の意思表示の構造

> 動機…「この土地は近々リゾート開発の対象となることに決まっており、またたく
> 　間に値段が上がる」
> 効果意思…「この土地を買おう」
> 表示意思…「『この土地を買います』と言おう」
> 表示行為…「この土地を買います」

　Aの内心的効果意思と表示の間に不一致はないから、Aの錯誤は動機の錯誤である。民法の立法者は、意思表示に対応した法律行為の効果が認められるのは、表意者に効果意思があるからだという意思主義の立場から、表示に対応する効果意思が存在しないことを「意思の欠缺」と呼び、心裡留保、通謀虚偽表示は、いずれも効果意思が欠けていることから、その効果を無効とした（ただし、同じく効果意思の欠けている意思欠缺錯誤については、表意者保護の制度であるということから、動機の錯誤である基礎事情錯誤とあわせて、取消しとした）。

　これに対して、詐欺においては、多くの場合、動機の錯誤が引き起こされている。そのため、立法者は、表示に対応する効果意思は存在するから、意思表示を無効にする必要まではないと考える一方、その効果意思は、他人の違法行為によって形成されたものであることから、表意者に取消権を与えて、その保護を図ることとした。これが「瑕疵ある意思表示」である。

　このような説明は非常に明快で、まずはこの説明を理解してもらいたい。しかし、現在では、意思欠缺錯誤の効果が、動機の錯誤である基礎事情錯誤とあわせて取消しとされており、以上のような、「意思の欠缺」と「瑕疵ある意思表示」をきっちり区別する考え方は、民法上も貫徹されていない。ただ、とりあえずは、民法の基礎にある立場として、「意思の欠缺」と「瑕疵ある意思表示」の違いを理解してほしい。

(2)　意思表示の相手方によって詐欺が行われた場合の詐欺取消しの要件
（96条1項）

　意思表示の相手方によって詐欺が行われた場合に、詐欺取消しを主張するに

は、①欺罔行為の存在、②表意者が錯誤に陥ったこと、③その錯誤により真意に反する意思表示をしたこと、④詐欺の故意といった要件が必要である。そして、取り消すまでは意思表示は有効だから、取消しによって意思表示が無効であると主張するためには、④表意者が取消しの意思表示をしなければならないことは、錯誤の場合と同様である。

(a) 欺罔行為の存在

欺罔行為とは、誤った認識や判断を他人に生じさせる行為である。その欺罔行為は、社会観念上ないし取引上要求される信義に反するものでなければならない。これを違法性という。前述の、ウソのリゾート開発話を積極的に行って原野を売る行為は、通常、社会的に許される限度を著しく越えるといってよい。これに対して、八百屋のおやじさんが「うちの大根は日本一だ」と言う場合のような、多少事実に反していても、社会的に許されるセールストークには、違法性がない。

また、沈黙も欺罔行為になることがある。ただどのような場合に、真実を黙っていることが欺罔行為になるのか、あるいは違法といえるのかについては、現在なお争われている。ここではひとつの考え方を紹介しておこう。

まず、出発点として、情報の収集は原則として表意者の責任である。自分の意思表示に関わる情報は自分で集めなければならず、相手方が積極的に情報を提供する必要は、原則としてない。それにもかかわらず、相手方の沈黙が違法な欺罔行為となるのは、相手方が「情報提供義務」を負っているのに、その義務に違反して、情報を提供しなかった場合である。そのような場合としては、相手方が、不動産業者や証券取引業者などの専門家である場合を考えることができる。専門家に情報提供義務が課される根拠としては、①情報の収集や分析力に格差のある当事者間では、非専門家の実質的な契約自由が失われているので、専門家に情報提供させることでこれを回復すべきであるという根拠や、②専門的な取引では、どうしても専門家の知識に頼らざるをえない場面があるし、その半面、専門家の側もそのような信頼を基礎に利益を得ているのだから、それに対応した責任を専門家の側に課すべきだという根拠が主張されている。

（b）　表意者が錯誤に陥ったこと

　詐欺取消しを主張するためには、欺罔行為によって表意者が錯誤に陥ったことが必要である。詐欺取消しは表意者を保護するための制度であって、欺罔行為者に対する制裁ではないから、相手方の欺罔行為があったとしても、それによって表意者が騙されず、自身の判断で意思表示を行った場合には、取消しを主張することはできない。

　この逆に、通常人であれば見抜ける程度の欺罔行為だったが、表意者が非常にうっかりした人物であったために、錯誤に陥り、意思表示をしたという場合には、詐欺取消しが可能である。欺罔行為者が、表意者の軽率さによって利益を得るべきではないからである。

（c）　その錯誤により真意に反する意思表示をしたこと

　詐欺取消しを主張するには、その錯誤がなければ、表意者はその意思表示をしなかったであろうという関係も必要である（因果関係）。ここには、真実を知ったなら、意思表示をしなかっただろう場合だけでなく、意思表示はしたであろうが、もっと有利な条件で行っただろう場合も含まれる。

（d）　詐欺の故意――二段の故意

　詐欺取消しを主張するには、欺罔行為者に、表意者を錯誤に陥らせる故意と、その錯誤に基づいて特定の意思表示をさせようとする故意があったことが必要である（二段の故意ともいわれる）。表意者が欺罔行為者によって、一定の方向に、いわば操縦されている場合には、表意者の自由な意思決定はもはやないから、取消権を与えて保護しようという考え方による。

　しかし、この二段の故意は欺罔行為者の内心に関わるものであるため、表意者がこれらを裁判で立証することは非常に難しい。特に表意者が消費者である場合はなおさらである。そのため消費者契約法という特別法で、二段の故意がなくとも契約を取り消すことのできる場合が定められている。

　消費者契約法

　事業者が消費者に対して、ウソをついて契約を締結させたり、何か害悪を示して消費者を畏怖させて、契約締結を無理強いした場合、消費者は、民法上、詐欺や強迫を理由とする取消しを主張することができる（96条1項）。しかし、

詐欺や強迫を理由とする取消しを主張するためには、消費者は、事業者に「二
段の故意」があったことを立証しなければならない。つまり、消費者を錯誤に
陥らせる故意と、その錯誤に基づいて特定の意思表示をさせようとする故意が
事業者にあったこと（詐欺の場合）、または、害悪を示して消費者を畏怖させる
故意と、その畏怖に基づいて特定の意思表示をさせようとする故意が事業者に
あったこと（強迫の場合）を、消費者が立証しなければならないのである。し
かし、取引のプロでもない一般の消費者が、これらを立証するのは、決して容
易なことではない。

　そこで、消費者契約法4条は、詐欺や強迫と比べてより緩やかな要件のもと
で、消費者に契約取消権を与えている。すなわち、事業者が契約締結の勧誘を
するに際して、①消費者に誤認を惹起する行為をし、その誤認によって消費者
が契約を締結した場合（誤認類型。4条1項・2項）、②不退去や監禁、不安を
あおる告知などの行為によって、消費者に困惑を生じさせる行為をし、その困
惑によって消費者が契約を締結した場合（困惑類型。4条3項）には、消費者
はその意思表示を取り消すことができる。消費者契約法4条による取消権は、
二段の故意が要求されていないことなどもあって、実際には、民法96条の取消
権よりも多く用いられている。

(3) 第三者によって詐欺が行われた場合の詐欺取消しの要件（96条2項）

　96条2項には、表意者と相手方以外の第三者に騙されて意思表示を行った場
合の取消しについて、規定が置かれている。

　この場合の詐欺取消しの要件は、①第三者による欺罔行為の存在、②表意者
が錯誤に陥ったこと、③その錯誤により真意に反する意思表示をしたこと（因
果関係）、④第三者の詐欺の故意（二段の故意）、⑤意思表示の相手方が第三者に
よる詐欺について悪意または有過失だったことである。取消しによる意思表示
の無効を主張するために、⑥表意者による取消権の行使が必要なのは、相手方
による詐欺の場合と同様である。

　次のような例を考えてみよう。Cは、BがAから借金をするに際して、保
証人となった。保証人になると、Bが借金を返済しないときに、Cが代わって
弁済しなければならないので（446条1項）、気乗りがしなかったが、Bが「自
分は土地をもっていて、これにAのための抵当権をつけるので、Cに迷惑を

かけることはない。保証人はまったく形式的なものだ」と言うので、Cはこれを信じて保証人になる契約をAと結んだ。しかし、Bが土地を持っていることも、抵当権を設定することもすべて嘘であった。Cは自分の意思表示を取り消すことができるだろうか（→【図表2-17】）。

【図表2-17】第三者による詐欺

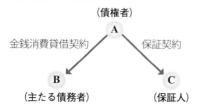

＊Bは保証契約については第三者

保証契約はAC間で締結される契約であるので、Bは、保証契約については第三者である。96条2項によれば、第三者Bによって詐欺が行われた場合は、意思表示の相手方Aが詐欺の事実を知り、または知ることができたときに限り、Cは保証契約を締結する意思表示を取り消すことができる。このように限定する理由は、常に取消可能としてしまうと、詐欺の事実を知らない相手方Aが害されるからである。

平成29年（2017年）改正では、こうしたトラブルが特に多い事業用融資に関する個人保証契約について、主たる債務者Bの虚偽の説明を債権者Aが知り、または知ることができたときは、Cは保証契約を取り消すことができるとする規定が定められた（465条の10第2項。詳細についてはNBS『債権総論』第7章Ⅸ2を参照）。

(4) 詐欺取消しと第三者との関係

詐欺による意思表示の取消しは、善意無過失の第三者に対抗することができない（96条3項）。錯誤にも同様の規定が設けられているので（95条4項）、意思表示の取消しと第三者として、7でまとめて説明する。

6　強迫

強迫――脅迫ではない。脅すだけではなく、それによって行為を強いること

が必要だからである——とは、相手方に害悪を示して畏怖を生じさせ、それによって意思表示をさせる行為を意味する。例えば、Aが、Bから、「お前の息子の借金の肩代わりをしろ。今日は自分が来ているからいいが、うちの若い者に来させると、どんなことになるかわからないぞ」と脅されたため、身の危険を感じて、息子の債務を引き受ける契約をBと締結した場合である。この場合、Aには、「息子の債務を引き受ける」という効果意思があるため、意思表示を無効とするまでの必要はないが、その効果意思は、他人による違法な影響によって形成されたものであることから、Aは意思表示を取り消すことができる（96条1項）。

　詐欺と強迫を比較すると、詐欺は表意者の判断材料に悪影響を与えているだけで、表意者の意思決定自体は自由に行われているのに対して、強迫の場合は、意思決定そのものに直接に違法な悪影響を及ぼしている点で、表意者の意思決定の自由が妨げられる程度が高い。このような違いから、強迫の場合は、詐欺の場合よりも表意者を保護すべきであるとされており、以下のように96条2項や3項の解釈論にも影響を及ぼしている。

　まず、第三者の詐欺による意思表示は、相手方が詐欺の事実を知り、または知ることができたときに限り、取り消すことができる（96条2項）。これに対して、強迫の場合には96条2項の適用はなく、相手方が強迫の事実を知らない場合でも、意思表示を取り消すことができる。

　つぎに、詐欺による取消しは、その効果を、詐欺の事実について善意無過失の第三者に対して主張することができない（96条3項）。これに対して、強迫の場合には96条3項の適用はなく、取消しによる無効という効果を、善意無過失の第三者にも主張することができる。

7　意思表示の取消しからの第三者の保護

(1)　取消前の第三者

(a)　95条4項、96条3項の意義

　ここまで説明したように、錯誤や詐欺による意思表示は取り消すことができる（95条1項、96条1項）。しかし、95条4項、96条3項は、この取消しを善意無過失の第三者に対抗することはできないと定めている。これはどのような意

第2章　意思表示・法律行為　**047**

味だろうか。次の例で考えてみよう。

　AはBに対して、自己の所有する土地を売却した。これはBの詐欺によるものだったので、Aは、AB間の売買契約を取り消したが、Bは既にその土地をCに転売していた。Cは土地の所有権を取得できるだろうか（→【図表2-18】）。

【図表2-18】取消前の第三者

　AB間の売買契約は、取消しによって、はじめに遡って無効と扱われるため、Bははじめに遡って無権利者となる（121条。取消しの遡及効）。したがって、無権利者Bから土地を購入したCも無権利者ということになり、Cは土地の所有権を取得できないはずである。

　しかし、Cにとってみると、この結果は予期せぬものになる可能性がある。Cにとって、直接の取引相手ではないAがBによって騙されたことは通常わからないし、そもそもCが土地を購入したのはAによる取消前であり、少なくともその時点ではBは所有者だったのである。しかも、何の落ち度もない善意無過失のCと比べると、Aには騙されたという点に落ち度があるといえる。それにもかかわらず、取消の遡及効を理由に、有効に取得したはずのCの所有権を奪ってしまうのは、Cにとっては予想外と言わざるをえないだろう。

　そこで民法は、このような取消の遡及効によって害される第三者を救済するために、96条3項を置き、表意者は、善意無過失の第三者に対しては、取消しによる契約の無効を主張できないとした。これにより、Bによる詐欺の事実をCが知らず、かつ知らなかったことに過失がなかった場合には、Cは土地の所有権を取得できることになる。以上の説明は、95条4項についても同様にあてはまる。

(b)　95条4項、96条3項によって保護される第三者とは

　95条4項、96条3項によって保護されるためには、第三者はいつまでに登場していなければならないかという問題がある。これについては、95条4項、96条3項は取消しによる遡及効によって害される第三者を保護する規定であるこ

とから、取消前に出現する必要があるとされている。

　上記の例でいうと、Cが土地を購入したのはAによる取消前であり、少なくともその時点ではBは所有者だったのである。それにもかかわらず、Aの取消しにより、はじめに遡ってBが無権利者になり、Cも無権利者となったのであって、本来であれば土地の所有権を取得できたはずのCが、取消しの遡及効によって、無権利者とされてしまったのである。96条3項は、このような結果から第三者を保護するための規定なので、第三者は取消前に登場していなければならないのである。以上の説明は95条4項についても同様である。

(2) 取消後の第三者

　では、第三者が取消後に登場した場合はどうなるのだろうか。上記の例でいうと、Cが購入したのが、Aによる取消しの後だった場合、Cは土地所有権を取得できるのだろうか（→【図表2-19】）。

【図表2-19】取消後の第三者

　この場合、95条4項、96条3項は適用されない。判例は、取消後の第三者については、取消しによってBからAに戻る権利移転と、BからCに売却される権利移転とが、Bを中心とする二重譲渡のようになっているとして、177条により、AとCのどちらが早くBから対抗要件としての移転登記を受けたかで優劣が決まるとしている。学説上は、これに反対するものも有力であるが、詳細についてはNBS『物権法』第4章Ⅱ1を参照してほしい。

8　意思表示の効力発生時期等

(1) 到達主義

　契約は申込みの意思表示と承諾の意思表示の合致によって成立する（522条1項。→18頁）。そして、意思表示は、その通知が相手方に到達した時からその効力を生じる（97条1項）。これを到達主義という。したがって、契約の成立時期

は、承諾の意思表示が申込者に到達した時点である。97条1項は、意思表示の相手方が、自分の目の前におらず、離れたところにいる者（隔地者）である場合に意味がある。

意思表示が到達したといえるためには、意思表示が相手方の支配領域内に入ればよく、相手方が現実に了知したことまでは必要ない。到達主義が採用されている結果、意思表示の不着や延着のリスクは表意者が負うことになる。なお、相手方が正当な理由なく意思表示の通知が到達することを妨げたときは、その通知は、通常到達すべきであった時に到達したものとみなされる（97条2項）。

表意者が意思表示をしたが、その通知が相手方に到達する前に死亡したり、意思能力を喪失したり、あるいは行為能力の制限を受けたときであっても、意思表示の効力は失われない（97条3項）。そうしないと、相手方に不測の損害を与えるからである。

(2) 公示による意思表示

表意者が相手方を知ることができないとか、相手方の所在が不明であるといった場合には、到達主義の原則では意思表示の効力を生じさせることができない。このような場合には、公示という方法で意思表示を行うことができる（98条）。

(3) 意思表示の受領能力

意思表示が相手方に到達しても、相手方に、その内容を理解する能力（受領能力）がなければ、それに対して適切な行動をすることができない。そこで、98条の2は、意思無能力者、未成年者、成年被後見人が他人から意思表示を受けたとしても、その意思表示は効力を生じないものと定めている（意思無能力者等の側から効力の発生を認めることは可能である）。ただし、親権者や成年後見人などの法定代理人がその意思表示を知ったとき、あるいは、本人が意思能力を回復し、または行為能力者となった後にその意思表示を知ったときは、その時点で意思表示は効力を生じる。

第3章

法律行為の効力

I 法律行為の内容の確定と有効要件

1 法律行為の内容の確定

(1) 契約の解釈

　第2章 I 1 (2)で述べたように、法律行為には、契約、単独行為、合同行為といったものがある。ここでは、法律行為の代表として契約の解釈について説明する。

　ここまでの説明では、契約の内容がはっきりしていることを前提にしてきたし、大学の試験問題などでも、当事者の契約の内容がどのようなものかは問題文に書いてある。しかし、現実には、当事者の表示の内容が不明確だったり、多義的だったりして、意味がはっきりしないこともある。そうした場合には、両当事者が共通して合意した内容を確定しなければならない。これを契約の解釈という。民法には、契約の解釈に関する規定は存在しないが、学説上概ね次のように説かれている（→【図表3-1】）。

【図表3-1】 契約の解釈

> ①当事者の付与した共通の主観的な意味がある場合には、それを基準とする
>
> ②当事者の付与した共通の主観的な意味がない場合には、当事者の用いた表示手段
> が、当事者が達成しようとした経済的・社会的目的、慣習（地域慣行、取引慣
> 行）、条理（物事の筋道、事物の本性、信義則）に従って判断した場合に、相手方
> または一般社会によってどのように理解されるかを基準とする
>
> ex.「塩釜レール入で引き渡す」という合意は、当地の商慣習によれば、売主がま
> ず売買目的物を塩釜駅に送付し、商品が塩釜駅に到着した後で代金を支払うとい
> う意味に解釈される（大判大正10・6・2民録27輯1038頁）

　また、当事者の表示から契約の内容を明らかにできない場合には、両当事者
が当該事項について定めるとしたらどのような条項を合意したかを推測して、
補充を行う。当事者が合意していない以上、この作業は実際には「解釈」では
ないが、個別当事者を基準にして内容を確定しようとする作業が「解釈」と共
通すること、実際上も、上述した「解釈」と厳密に区別することは難しいこと
などから、補充的解釈と呼ばれている。

(2) 慣習による補充

　こうした作業によっても契約の内容を明らかにできなかった場合には、(3)で
説明するように、民法その他に定められている任意規定による補充が行われ
る。ただし、任意規定がある場合でも、その地域やその取引について任意規定
と異なる慣習があり、当事者がその慣習による意思を有しているときは、任意
規定に優先して、慣習による補充が行われる（92条）。

(3) 任意規定による補充と強行規定

　民法の、特に契約各論の部分には、当事者の権利や義務についてさまざまな
規定が置かれている。これらの多くは、当事者の意思の推測に基づき、あるい
は立法者の価値判断を加えて、契約内容の補充のために定められたものであ
る。こうした規定を任意規定という。これらの規定は、当事者が特別な合意を
しなかった場合に契約内容を補充する役割を果たすが、もちろん当事者は、任

意規定と異なる内容の合意を行うことも可能である (91条)。民法では、自分の法律関係は自分で作るのが原則であり、当事者の意図したとおりの内容が裁判所によって実現してもらえるのが原則だからである。

これに対して、当事者の特約よりも法律上の規定が優先される場合もある。そのような規定を強行規定といい、強行規定に反する内容の合意をしても、そのような合意は無効とされる (91条の反対解釈)。近時、借地借家法や消費者契約法などの特別法に、経済的弱者を保護するために、強行規定が設けられる例が増えている。

2 法律行為の有効要件

以上に説明した法律行為の解釈によって法律行為の内容が明らかになった後に、その内容によっては、例えば麻薬の売買契約や愛人関係を維持継続する目的で行われた贈与契約のように、法律的あるいは社会的観点から、法律行為が無効とされることがある。このように、法律行為を有効と認めるために、法的あるいは社会的観点から備えていなければならない要件のことを、有効要件といい、大きく、内容の確定性、内容の適法性・社会的妥当性の2つがある。有効要件は、法律行為全般について問題になるが、ここでもその代表として契約を例に説明する (→【図表3-2】)。

【図表3-2】有効要件の位置づけ

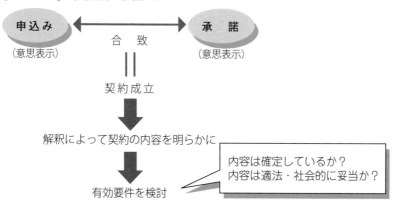

第3章 法律行為の効力

(1) 内容の確定性

　まず、法律行為が有効に成立するためには、合意した当事者がそれぞれ「な
すべきこと」の内容が確定していなければならない（当事者が「なすべきこと」
を、法律用語では「給付」という）。例えば、「何かいいものをあげる」という贈
与契約が有効に成立してしまうと、受贈者は何を求めてよいのかわからない
し、訴訟を提起された裁判所も、何の引渡しを命じてよいかわからない。した
がって、このような場合に、契約の有効な成立を認める意味はないのである。

　これに対して、例えば医療契約のように、問診や検査をしたり、手術後の経
過をみながら徐々に行うべき処置の内容が明らかになって確定していくものも
ある。したがって、契約締結の時点で給付の内容が詳細な部分まで確定してい
る必要はなく、契約を履行するときまでに内容の確定が可能であれば問題はな
い。

給付が実現可能であることは必要か？

　契約の解釈によって給付の内容が確定したが、それが実現不可能だったらど
うだろうか。平成29年（2017年）の民法改正前の通説は、給付は実現可能なも
のでなければならないとしていた。例えば、別荘の売買契約をしたが、その別
荘は契約の前日に既に火災で燃えてなくなってしまっていたという場合、契約
締結時には、その別荘を引渡すことは客観的に実現不可能であるため、通説
は、そのような契約を無効としてきた（したがって、原則として、当事者間には
何らの権利義務も生じない）。このような、実現不可能な約束はできないという
考え方は、一般的な常識感覚に合致するといえるだろう。

　なお、実現不可能のことを民法学上「不能」といい、不能には、契約締結時
に既に給付の実現が不可能な原始的不能と、契約締結後に給付の実現が不可
になった後発的不能とがある。ここで解説しているのは、原始的不能のことで
ある。

　さて、現在の民法では、原始的に不能な給付を目的とする債権を成立させる
契約も、それだけで無効となることはない（412条の2第2項参照）。契約締結
時に目的物が存在することを条件として契約を締結したなどの特別な場合を除
き、とりあえず契約が有効に成立し、当事者間に権利義務が発生することを認
めた上で、契約締結後に給付が実現不可能になった場合と同じように扱おうと

いう立場である（この場合には債務不履行が問題となる。詳細については NBS『債権総論』第 3 章を参照してほしい）。これは、先の例でいうと、別荘の焼失が契約締結の前だったか後だったかという偶然の事情によって、法的な解決が大きく異なるのは適当でないという考えに基づく。したがって、現在は、給付の実現可能性は法律行為の有効要件ではない。

(2) 内容の適法性・社会的妥当性

最後に、給付の内容は適法なもの、社会的に妥当なものでなければならない。例えば、麻薬の売買契約があった場合に、麻薬の引渡という違法な義務の実現に裁判所が手を貸すわけにはいかないだろう。以下では、内容の適法性・社会的妥当性についてもう少し詳しく説明する。

(a) 公序良俗違反の法律行為

90 条によれば、公の秩序または善良の風俗に反する法律行為は無効とされる。しかし、「公の秩序」「善良の風俗」といっても非常に漠然としており、解釈の余地が非常に大きい。このように解釈の余地の大きい要件あるいは効果をもった規定のことを一般条項といい、民法の一般条項としては、90 条以外に、1 条 2 項の信義則、1 条 3 項の権利濫用などがある。

公序良俗違反という一般条項になっているおかげで、90 条は柔軟で妥当な解決を可能にしてくれるが、他方、裁判官の主観的な判断によって一般条項が濫用される危険性も大きい。かといって、公序良俗違反の内容を固定化してしまうと、せっかく解釈の余地の広い文言を用いて柔軟な解決を図れるようにした趣旨が没却されかねない。そこで従来、判例を整理分類することによって、公序良俗違反の内容を具体化する努力が行われている。以下では、公序良俗違反とされる代表的な例をいくつか挙げておこう。

(i)犯罪に関する契約　　殺人を請負う契約や麻薬の売買契約のように、犯罪を犯す対価として金銭を与える契約は無効である。

(ii)賭ばく行為　　金銭や物を賭けた賭ばく契約は、偶然によって利益を得ようとする心（射倖心）を著しくあおり、社会治安を害するおそれがあることから無効とされる。

第 3 章　法律行為の効力　**055**

(iii)性道徳に反する行為　　不倫関係を維持継続する目的でなされた贈与契約や遺言などは無効である。

(iv)暴利行為　　他人の判断能力の欠如・無経験・軽率・窮迫などに乗じて不当な利益を得る行為が公序良俗違反となることは、判例上古くから認められている。こうした行為を暴利行為という。最近の例としては、クラブ経営者が従業員であるホステスに客の代金債務の保証をさせた場合の当該保証契約を挙げることができる。

暴利行為の判断に際しては、契約内容の不当性に加えて、契約締結に至る勧誘行為の不当性をも加味して、全体として公序良俗違反かどうかが判断されるが、近時、このような判断手法が消費者取引の場面で活用されている。例えば、先祖の因縁やたたりを強調して相手方を不安に陥れて、高額な献金をさせたり、物品を高価格で売りつける霊感商法について、贈与契約や売買契約が公序良俗違反とされることがある。また、先物取引というハイリスク・ハイリターンの投資取引について、投資の経験や知識がなく十分な財産もない主婦や老人が、十分な説明を受けずに、あるいは利益をことさらに強調されるなどして、参加させられた場合に、商品先物取引法などの関連法令の違反なども考慮に入れて、業者への先物取引委託契約が公序良俗違反とされることもある。

(v)基本的人権の尊重という理念に反する契約　　憲法の人権規定が私人間の契約に対してどのような影響を及ぼすかについて、憲法分野の通説は、憲法は国家と市民の関係を定めるものだから、私人間での直接的適用が前提とされているものを除き、憲法の人権規定は私人間に直接に適用されることはないが、公序良俗の内容として契約の効力に間接的に影響を及ぼす、と説明している（間接適用説）。

判例としては、平等権を定めた憲法14条に関連して、定年退職年齢を男子60歳、女子55歳と定めた就業規則の定めは、性別のみによる不合理な差別を定めたものとして、公序良俗に反するとしたものがある（最判昭和56・3・24民集35巻2号300頁）。

動機の不法
賭ばくで負けたことによる債務を弁済する目的で、第三者からお金を借りた

場合、お金を借りるという契約（金銭消費貸借契約）の内容をそれだけ取り出してみると公序良俗違反ではないが、その契約を締結する動機は、賭ばくによる債務の弁済であるから、不法である。このような場合に、金銭消費貸借契約を公序良俗違反とすると、お金の使い道を知らない契約の相手方（上記の第三者）を害することになる。そこで通説は、一方の不法な動機を相手方も知っている場合に契約を無効としている。

(b) 行政的取締規定違反の法律行為

法律には、民法や商法のような私人間の関係を規律する私法のほかに、憲法や刑法、行政法のように国家と私人の関係を規律する公法も存在する（→第1章3(1)(a)）。特に行政法規には、一定の取締りの目的から、「これこれのことをしてはいけない」といった規定が置かれることが多い。例えば、タクシー営業の免許を受けないでタクシー営業をすることは禁止されている（道路運送法4条。こういうものを俗に白タクという）。こうした規定のことを取締規定という。

では、国対私人という公法の世界で、タクシー免許を受けないでタクシー営業をしたために国から罰金を科されるのはよいとして（道路運送法96条1号に規定がある）、私人対私人という私法の世界で、白タク営業をしているタクシーに乗り、締結した運送契約は有効とされるのだろうか。目的地についた乗客は「白タク営業は道路運送法4条違反だから、運送契約も無効だ。だから運賃は支払わない」といえるのか、それとも、道路運送法4条に違反していても、公法と私法は別の世界の話だから、運送契約は有効であり、乗った以上は運賃を支払わなければいけないと考えるべきだろうか。ここでは、公法の世界の法律に違反したということが、私法の世界にどのような影響を与えるのかが問題となっている。

通説は、取締規定を、①刑事上・行政上の制裁は科されるが、違反が契約の効力に影響することはない「狭義の取締規定」と、②違反によって契約の効力が否定される「効力規定」とに分類し、違反したのが狭義の取締規定なら契約は有効だが、効力規定なら契約は無効であると考える。分類の基準として、通説は、立法の趣旨、違反行為に対する社会の倫理的非難の程度、一般取引に及ぼす影響、当事者間の信義・公正などを細かく検討して決めるべきであるとす

るが、基本的なスタンスとしては、公法の世界と私法の世界は別の世界の話だという立場から、違反行為の私法上の効力を否定することは、取引の安全を害するだけでなく、当事者の信義や公正を害することすらもあるとして、狭義の取締規定に分類することを原則としている。

　そして、通説は、さきほどの白タクの例については、タクシーの営業免許は、取引そのものを禁止しているのではなく、一方当事者となるのに一定の資格が要求されているにすぎないから、道路運送法4条は狭義の取締規定であり、乗客との契約は無効にならないと説明する（乗せてもらった以上、客は運賃を支払わなければならない）。

　ただし、最近では、公法と私法は別の世界の話だという考え方が必ずしも常に貫徹されているわけではない。特に消費者取引などの場面では、公法と私法は消費者保護などの目的達成のために協力すべきだという立場から、違反した公法上の法規の目的を、公序良俗違反の判断の際の一要素と考えて、契約が私法上無効になるかどうかを総合的に考える判例も現れている。

II　条件・期限

1　条件

⑴　条件とは

　これまで解説したところから、契約が有効に成立し、無効や取消の原因もないときには、契約の効力は成立と同時に発生するのが原則である。しかし、当事者の合意によって、契約の効力が発生する時期を遅らせたり、効力の発生をある一定の事実が実現するかどうかに関連させることも可能である。例えば、AがBに「○○法科大学院の入学試験に合格したら、10万円あげよう」と申し出た場合、Bがこの申し出を承諾すると贈与契約が成立する。しかし、この契約の効力（10万円の請求権の発生）は、意思表示の合致と同時には生じず、Bが○○法科大学院の入学試験に合格してはじめて生じる。ところが、Bが○○法科大学院の入学試験に合格するかどうかは誰にもわからない。このように、法律行為の効力を、将来発生するか否かが不確実な事実の成否にかからせる旨

の特約を「条件」という。

(2) 停止条件と解除条件

条件には停止条件と解除条件がある。まず、条件成就によって法律行為の効力が発生する場合を、停止条件という（127条1項）。さきほどの「○○法科大学院の入学試験に合格したら」という条件は停止条件である。

逆に、条件成就によって法律行為の効力が消滅する場合を、解除条件という（127条2項）。例えば、「学業の成績が落ちたら、金銭の援助を打ち切る」という場合の、「学業の成績が落ちたら」という条件は解除条件である。

(3) 条件付き法律行為の効力

条件が成就した場合、停止条件付き契約は条件成就の時から効力を生じ（127条1項）、解除条件付き契約は条件成就の時から効力を失う（127条2項）。条件が成就しないことが明らかになった場合の効果についての条文はないが、停止条件付き契約は無効に確定し、解除条件付き契約は有効に確定する。

条件成就の効力は遡及せず、条件成就の時点で効力が発生、あるいは消滅するのが原則だが、当事者の意思により、条件成就の効果を遡らせることもできる（127条3項）。

(4) 条件の成否未定の間の期待権

条件付き契約の一方当事者は、条件が未成就の間も、条件が成就すれば利益を受けるという期待をもっており、これを期待権という。例えば、AがBと、「Bが○○法科大学院の入学試験に合格したら、BにA所有の万年筆を与える」という停止条件付き贈与契約をした場合、Aは、Bが他大学の法科大学院に進学する、あるいは法科大学院への入学を諦めるなどして、○○法科大学院の入学試験に合格しないことに確定するまでは、その万年筆を毀損したり、第三者に譲渡することはできない（128条。目的物が不動産の場合には、次に述べるように仮登記を行って譲渡することが可能である。本登記ではなく「仮」登記となるのは、条件が必ず成就するとは限らないからである）。もしAがこれに違反した場合には、BはAに対して、期待権の侵害を理由として、債務不履行ないし不法行為に

第3章　法律行為の効力　059

基づく損害賠償請求をすることができる。

　また、条件付きの権利は、処分し、相続し、保存し、または担保の対象とすることができる（129条）。例えば、AがBに停止条件付きで不動産を売却した場合、買主Bは、将来の不動産所有権移転請求権を、「仮登記（不登105条2号）」して保全することができる。仮登記をすると、登記の優劣は仮登記の順位に従うので、たとえその不動産がAからCに二重譲渡されても、Bは停止条件成就後に仮登記を本登記にして、Cに対して自分が優先することを主張できる（仮登記については、NBS『物権法』第4章Ⅴ2(2)を参照）

(5)　条件成就の妨害等

(a)　条件成就の擬制

　条件の成就によって不利益を受ける当事者が故意にその条件の成就を妨げた場合、相手方はその条件が成就したものとみなすことができる（130条1項）。例えば、不動産仲業者Aに不動産の売却の斡旋を依頼し、成約の場合の報酬金の支払を約束したBが、Aから購入希望者Cを紹介された後で、報酬を節約しようと考えて、Cと直接に契約を結んでしまった場合、Aは、条件が成就したものとみなして報酬を請求できる。

(b)　条件不成就の擬制

　以上と反対に、条件の成就によって利益を得る当事者が、不正に（＝信義則に反して故意に）その条件を成就させた場合には、相手方は、その条件が成就しなかったものとみなすことができる（130条2項）。

(6)　特殊な条件

　条件の内容とする事実はどのようなものでもよいが、民法は、一定の種類の事実を条件の内容とした場合の取扱いについて、規定を置いている（131条から134条を参照）。

2　期限

(1)　期限とは

　ここまで説明した条件とは、成就することが不確実なものだったが、これと

は異なり、法律効果の発生を将来の到来が確実な事実の発生にかからせる場合を期限という。そして、効力の発生あるいは債務の履行の時期について付けられるものを始期、効力の消滅について付けられるものを終期という。

また、何月何日のように到来する時期の定まっているものを確定期限、「私が死んだら」とか「次に雨が降ったら」のようにいつ到来するかが不確実なものを不確定期限という。

(2) 期限の利益

(a) 期限の利益とは

期限に関して重要なのは、期限の利益をめぐる問題である。例えば、AがBに弁済期1年後という約束で100万円を貸すという場合、債務者Bは期限の到来まで100万円を使えるという利益を有する。このように、期限の到来するまで当事者が受ける利益のことを「期限の利益」という。

今の例では、債務者Bが期限の利益を有したが、では、AがBに弁済期1年後、利率年1割という約束で100万円を貸すという場合、期限の利益を有するのはA・Bどちらだろうか。この場合は、債務者Bは期限まで100万円を使えるという利益を有し、債権者Aは1年後に10万円をもらえるという利益を有するということになるため、債務者Bと債権者Aの両方が期限の利益を有する。どちらが期限の利益を有するか不明な場合には、136条1項が、債務者が期限の利益を有すると定めている。

(b) 期限の利益の放棄

期限の利益は放棄することができるが、これによって相手方の利益を害することはできない（136条2項）。

まず、AがBに弁済期1年後という約束で100万円を無利息で貸す場合のように、期限の利益が一方当事者のためにだけ存在する場合には、その当事者が自由に放棄できる。したがって、Bは、1年経過しなくても、いつでもAに返済できる。

これに対して、AがBに弁済期1年後、利率年1割という約束で100万円を貸す場合には、期限の利益が当事者双方のために存在するので、Bは、期限前にAに返済することはできるが、その場合には、Aの利益を害することがで

第3章 法律行為の効力 **061**

きないので、利息分10万円をつけなければならない（なお、以上の説明はあくまで一般論である。実際には、貸主は事業者であることが多く、事業者は、返済されたお金をまた別の借主に貸して利息を得るのが通常なので、期限前の返済によって特段の損害が生じないことも多い。591条3項は、消費貸借の貸主は借主の期限前の返済によって損害を受けたときは、借主にその賠償を請求できると定めるが、これも、期限までの利息相当額を損害として当然に請求できるという意味ではない）。

(c) 期限の利益の喪失

債務者に信用を失わせるような事情や行為があった場合、債務者は期限の利益を主張することができなくなる。137条は、期限の利益を喪失する場合として、債務者が破産手続開始の決定を受けたときや、債務者が担保を滅失、損傷、減少させたときなどを定めている。こうした事情があった場合でも期限まで待たなければならないとすると、債権者にとってあまりに酷なので、債務者は期限の利益を失い、ただちに債務を履行しなければならないとされたのである。

実際の取引では、これら以外にも、当事者の特約で、例えば、債務者が他の債権者から強制執行を受けた場合には期限の利益を失うといった定めがされることが多い。これを期限の利益喪失約款という。

III　無効・取消し

1　総説

(1) 無効と取消しの意義

ここまで、さまざまな原因によって、契約が無効となったり、取り消すことができるものとなる場面を見てきた。ここで、無効と取消しについて、まとめておこう。

無効と取消しは、いずれも、意思表示あるいは法律行為の効力を否定するための法的なテクニックであるが、無効の場合には、はじめから効力が否定されるのに対して、取消しの場合には、ひとまずは有効とした上で、取消しの意思表示があってはじめて、遡って効力が否定されるという違いがある。「ない」

のと「なかったことにする」の違いだというとわかりやすいだろうか。この違いは、行為の効力を維持するかどうかを、表意者の判断に委ねるべきかどうかというところからきている。

無効と取消しのその他の違いとしては、まず、無効の場合は、無効な行為を後日の意思表示によってそのまま有効とすることはできず、後日の意思表示の時点で、新しい行為として行われたものとみなされるにすぎない（119条）。これに対して、取り消すことができる意思表示や法律行為は、後日それを追認することによって確定的に有効となる（122条本文）。

また、無効は、時の経過の影響を受けず、時間が経ったからといって有効になることはないが、取消しの場合は、一定の期間の経過によって取消権が消滅し、有効に確定する（126条）。このことを、民法の起草者の1人は、無効な意思表示は死体であって、いくら待っても生き返ることはないが、取り消すことができる意思表示は病人であって、病気のために死ぬまでは生きているし、元気になることもある、という比喩で説明している。

(2) 無効と取消しの振り分け

意思表示ないし法律行為がどういう場合に無効とされ、どういう場合に取消可とされるかという振り分けについては、ある程度理論的に振り分けられつつも、最終的には政策的な調整が行われている（→【図表3-3】）。

【図表3-3】無効と取消しの振り分け

> ・意思無能力→自分の意思で法律関係を形成できないのだから無効
> ・制限行為能力→意思能力があるから有効。しかし制限行為能力者の保護のために取消可とした
> ・心裡留保・通謀虚偽表示→表示に対応する意思がないから無効
> ・意思欠缺錯誤→表示に対応する意思がないから無効になるはずだが、表意者保護の制度であることを理由に取消しとした
> ・基礎事情錯誤・詐欺・強迫→表示に対応する意思があるから有効。しかしその動機あるいは意思の形成過程に瑕疵があるから政策的に取消可とした
> ・法律行為の公序良俗違反→法律行為の存在が社会的に認められないから無効

第3章 法律行為の効力 **063**

(3) 無効と取消しの二重効

例えば、制限行為能力者が意思無能力状態で契約をした場合には、意思無能力無効と制限行為能力者取消しの両方が主張可能であるように見える。しかし、いずれを選択するかで効果が異なるため、どちらを主張してもよいのか、それとも一方しか主張できないのかが議論されている。

古くは、無効しか主張できないという説が有力だった（無効説）。無効というのは存在しないことなのだから、存在しないものを取り消すということは論理的にありえないというのがその理由である。

一見もっともな主張だが、よく考えてみると、有効・無効というのは自然科学的な存在不存在を意味するのではなく、無効や取消しは、意思表示や法律行為の効力を否定するための論理構成のための概念ないしテクニックにすぎない。無効説は、有効無効を自然科学的な意味で捉えすぎであるといえよう。このような理由から、現在では、どちらの要件も満たしている以上、どちらを主張してもよいという見解が通説である。

2　無効

(1) 無効であることの意味

(a) 絶対的無効

無効とは、意思表示ないし法律行為の効力がはじめから存在しない場合である。したがって、具体的には、無効であることを、原則として、誰からでも、誰に対してでも、いつまでも主張できる。これが無効の原則形態であり、このような完全な無効のことを絶対的無効と呼ぶ。公序良俗違反による無効は、絶対的無効である。

(b) 相対的無効

わざわざ絶対的無効というからには、相対的無効というものもある。これには無効を主張できる者が制限される場合と、無効主張の相手方が制限される場合とがある。

まず、無効を主張できる者が制限される場合である。無効というのは本来誰からでも主張できるものである。しかし、意思無能力無効のように、表意者を保護するために無効が認められている場合には、表意者自身が無効を主張する

気がないのに、相手方や第三者から無効を主張することを認める必要はない。そこで学説は、意思無能力無効は原則として表意者からしか主張できないとする。このような場合を取消的無効という。

つぎに、無効を第三者に主張できない場合がある。94条2項によると、通謀虚偽表示の無効は善意の第三者に対抗できない。例えば、AB間で、Aの土地をBに売ったことにして、登記名義もBにしていたところ、Bがそれをよいことに、事情を知らないCに土地を転売したという場合には、Aは、Cに対して、AB間の売買は通謀虚偽表示で無効だからCが土地の所有権を取得することはない、と主張することはできない（→【図表3-4】。第2章Ⅱ3(2)も参照）。心裡留保に関する93条2項も同様の規定である。

【図表3-4】無効主張の相手方が制限される場合（通謀虚偽表示と第三者）

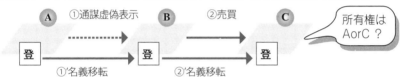

(2) 無効行為の追認

無効の行為ははじめから効力がないものとされるため、後日の意思表示によって、無効な行為を有効な行為とすることはできない。無効な行為は、いくら待っても生き返らないのである。仮に、後日になって、無効な行為を有効な行為としたいという意思を表示したとしても、その時点で、新しい行為が行われたものとみなされるにすぎない（119条）。

ただし、意思無能力無効のように、表意者の保護のために無効が認められている場合には、意思能力を回復した後に表意者本人が望むのであれば、第三者を害さない限り追認を認めて、無効な売買契約を遡って有効にしてもよいだろう。

(3) 無効行為の転換

無効行為の追認とよく似たものに、無効行為の転換というものがある。これは、無効な法律行為が、他の有効な法律行為としての要件を備えている場合

で、当事者も他の法律行為の効力を欲するであろうと認められるときには、単に無効な法律行為としてしまわずに、その法律行為の効力を認めることである。

民法には、無効行為の転換を定めた条文がある。遺言には、自筆証書遺言、公正証書遺言、秘密証書遺言の3種類があり（967条）、このうちの秘密証書遺言を行うには、970条の定める厳格な要件を満たさなければならない（遺言の方式については、NBS『家族法』第16章Ⅲを参照）。しかし、現実には、それらの要件のうちの何かが欠けているという場合もありえないわけではない。遺言者の生前であればやり直しも可能だろうが、遺言者の死後になるとそういうわけにもいかない。かといって、遺言は無効だから法律の規定に従って相続するということにしてしまうと、遺言者の意思は反映されない。そこで、971条は、要件を満たさない秘密証書遺言であっても、968条の要件を満たしていれば自筆証書遺言として有効なものとしている。

判例は、愛人との間の子を、妻との間の嫡出子として届けた場合に、夫婦の間の子としての届出としては無効だけれども、認知としての効力が認められるとしているが、これも無効行為の転換の例である（最判昭和53・2・24民集32巻1号110頁）。

(4) 無効を主張できる期間

無効な行為は、時間の経過によって有効になったり、無効の主張ができなくなったりすることがない。ないものはないのだから、いつまででも無効の主張ができる。ただ、これに対しては、心裡留保や通謀虚偽表示による無効のような場合には、取引の安全という観点から、取消権に関して126条が定める5年あるいは20年という期間制限を、無効主張についても類推適用すべきだとする見解もある。

ただし、法律行為の無効を原因とする原状回復請求権（121条の2）は、法律行為時から10年、無効原因を知った時から5年で消滅時効にかかるため（166条1項）、その意味では永遠に無効主張ができるわけではない。

3　取消し

(1)　取消しの意義
　取消しとは、意思表示ないし法律行為の効力をはじめに遡って消滅させる意思表示のことである。何もしなくても効力が否定される無効の場合と違って、取消しの意思表示をしなければ行為は有効であり、取消しの意思表示があってはじめて、遡って効力が否定される。

(2)　取消権者
　無効の場合は、原則として誰からでも無効を主張できたが、取消しを主張できるのは、取消権者として120条に規定された者だけである。

(a)　行為能力の制限を理由とする取消しの場合
　120条1項は、制限行為能力取消しの場合の取消権者として、制限行為能力者、その代理人、承継人、同意権者を挙げている。注意点としては、制限行為能力者本人による取消しも完全に有効で、取り消すことのできる取消しになるのではないということである。これを認めると取引があまりに不安定になるからである。
　代理人とは、未成年者の法定代理人、成年後見人などをいい、同意権者とは、保佐人、同意権付与の審判を受けた補助人をいう。承継人とは、相続などを理由に本人から権利義務を包括的に譲り受けた者（包括承継人）や、売主や買主などの契約当事者としての地位をそのまま譲り受けた者（特定承継人）をいう。

(b)　錯誤、詐欺、強迫を理由とする取消しの場合
　120条2項は、錯誤、詐欺、強迫を理由とする取消しの場合の取消権者として、意思表示をした本人、代理人、承継人を挙げている。

(3)　取消しの方法
　取消しは、相手方に対する意思表示によって行う（123条）。訴えの方法によるとか、一定の方式によるなどの必要はないが、一般的には、取消しの意思表示があったかなかったかで将来紛争にならないように、書面で行われることが

第3章　法律行為の効力　**067**

多い。なお、取消権のように、権利者の一方的な意思表示によって法律関係の変動を生じさせる法律行為のことを単独行為といい（→19頁）、そのような権利のことを形成権という。

(4) 取消しの効果

(a) 遡及的無効

取消しが行われると、意思表示・法律行為ははじめに遡って無効だったものとみなされる（121条）。これを、取消しの遡及効という。例えば、相手方に騙されて売買契約をしてしまった者が契約を取り消した場合、その契約ははじめに遡って無効となる。はじめから契約をしなかったのと同じに扱われるのである。相手方に売却した物の所有権は、取消しによって戻ってくるのではなく、はじめから一度も相手方に移動しなかったことになることに注意してほしい。

(b) 原状回復義務

ただ、そうはいっても、実際には、相手方に物や代金を既に引き渡してしまっている場合もしばしばある。そのような場合には、取消しによって契約が遡って無効になっているにもかかわらず、相手方の物やお金が手元にあるわけだから、お互いに返還しなければならない。このときの返還の範囲は、「原状回復」とされており、仮に受け取った物を壊してしまって返還できない場合には、価額賠償をしなければならない（121条の2第1項）。

しかし、これには2つの例外がある。第一が、取り消されたのが贈与などの無償行為であり、その行為が取り消すことができるものであることを受領者が知らなかった場合、第二が、行為の時に制限行為能力者であった場合である（行為の時に意思能力を有しなかった場合も同様である）。これらの場合には、返還義務が軽減されており、その行為によって現に利益を受けている限度において、返還義務を負うにすぎない（同2項、3項）。

この「現に利益を受けている限度」とは、取り消すことのできる行為によって事実上得た利得が、そのまま、あるいは形を変えて、現に残存しているときに限り、それだけを返還すればよいという意味である。これを現存利益での返還義務という。例えば、受け取った金銭を浪費してしまった場合には現存利益

がなく、返還義務もない。これに対して、受け取った金銭を、生活費や他の債務の支払に充てた場合には、これらはいずれにせよ別のお金で支払わなければいけないものだから、それらのお金の出費を免れたという意味で、利得が形を変えて残存しているとみなされ、返還義務ありとされる（このような理論を「出費の節約」という）。

(5) 取り消すことができる法律行為の追認
(a) 追認
取り消すことのできる法律行為は、後日の意思表示によって、確定的に有効とすることができる（122条）。これによって、一応有効ではあるものの、取消されるかもしれない不安定な状態であった法律行為は、有効であることに確定する。このような意思表示を追認という。

追認できるのは、120条に挙げられている取消権者である。ただし、追認は、取消しの原因となっていた状況が消滅した後にするのでなければ効力をもたない。したがって、制限行為能力者が追認する場合には行為能力者になった後に、錯誤による意思表示をした者は錯誤を知った後に、詐欺による意思表示をした者は詐欺をされたことを知った後に、強迫による意思表示をした者は強迫状態を脱した後に、取消権を有することを知って、追認しなければならない（124条1項）。

これに対して、制限行為能力者または錯誤・詐欺・強迫による意思表示をした者の法定代理人・保佐人・補助人が追認する場合や、制限行為能力者が法定代理人・保佐人・補助人の同意を得て追認する場合には、取消しの原因となっていた状況が消滅した後にすることを要しない（124条2項）。

(b) 法定追認
さらに、民法は、法定追認という制度を設けている（125条）。これは、追認できる状況になった後に、取消権者が履行の請求をしたり、相手方からの履行を受領したなど追認を前提とするような一定の行為がなされた場合に、取消権を有することを知ってしたかどうかや、追認の意思があったかどうかを問うことなく、一律に追認を擬制するというものである。

例えば、詐欺取消しができるのに、その後も取消権者が取り消さずに代金の

第3章　法律行為の効力　**069**

支払請求をするなら、相手方はもう契約は取り消されないと考えるだろう。このような相手方の信頼を保護する制度が法定追認制度である。

(6) 取消権の行使期間

(a) 2つの期間制限（126条）

取消権には行使期間の制限がある。126条によると、(5)(a)で述べた追認をすることができる時から5年、行為の時から20年の2つの期間制限があり、どちらか早い方の期間が到来した時点で取消権は消滅する。意思表示や法律行為がいつまでも取り消しうる状態にあると、法律関係を不安定にするからである（→【図表3-5】）。

【図表3-5】 2つの期間制限

(b) 取消権者が複数いる場合

成年被後見人が法律行為を行った場合には、成年後見人と成年被後見人の二人が取消権をもち、126条所定の期間は別々に進行する。(5)(a)で述べたところによれば、追認することができる時とは、成年被後見人については行為能力者になり、取消権を有することを知った時を意味し、成年後見人については成年被後見人が取り消すことができる行為をしたことを知った時を意味するので、期間制限は下図のようになる（→【図表3-6】）。多くの場合は、成年後見人が行為を知る方が先であろうから、それから5年たった時点で、成年被後見人の取消権もあわせて消滅する。

未成年者、被保佐人、（同意権付与の審判があった場合の）被補助人の場合も同様に考える。

【図表3-6】成年被後見人と成年後見人の取消権

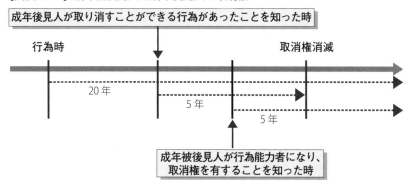

第4章

権利の主体としての人

I　民法における人とは

　この章で説明をするのは、権利の帰属主体に関するルールである。民法を含む法律において、権利の帰属主体となり得るものは「人」と呼ばれる。

　権利の帰属主体とは難しく見える言葉だが、要するに「権利をもつもの」という意味である。Aが甲土地の所有権をもっているというとき、「甲の所有権はAに帰属している」のであり、「Aは甲の所有権の帰属主体である」といえる。

　ここでいう「人」に、人間（生物学上のヒト）が含まれることはもちろんである。こうした「人間」のことは、（次に説明する「法人」と対比して）「自然人」という。本章（民法第1編第2章「人」の内容に当たる）の説明も、特に断りのない限り、自然人に関するルールを説明する。

　もっとも権利の帰属主体となり得るのは、自然人だけではない。株式会社や学校法人など、法人も権利の帰属主体となり得る。このため、「人」という言葉が法人を含めて用いられることがある（例えば次章で学ぶ代理において「代理人」というときには、法人が含まれる）。法人については第7章で説明をする。

　人に関するルールとして、本章では、3つの「能力」について説明をする。すなわち、権利能力、意思能力、そして行為能力である。このうち、権利能力および行為能力というときの「能力」という言葉は、法律上必要とされる「資格」という意味合いをもっている。一般的に用いられる「何かができるという力」という意味とは異なるので、注意をしながら読み進めてほしい。

第4章　権利の主体としての人　**073**

II　権利能力

1　権利能力とは

　権利能力とは、所有権や債権などといった私法上の権利、あるいは債務のような私法上の義務の帰属主体となることができる資格のことをいう。言い換えれば、権利能力があるとされるものは、権利や義務の主体となることができ、逆に権利能力がないとされるものは権利や義務の主体となることができない。人（自然人）はすべて権利能力があるとされているので、人は誰でも財産を所有するなどのように権利の主体となる法律上の資格をもっている。しかし、人以外の動物は権利能力がない。このため、例えばAの飼い犬Bが、Cの運転する車にはねられてケガをしたとしても、B自体は損害賠償を求める権利を取得することはできず、Aが自分の財産であるBを侵害されたことを理由に、Cに対する損害賠償請求権を取得することになる。

　前述のとおり、自然人と並んで、法人もまた権利や義務の主体となることが認められている。すなわち、法人も権利能力をもつ。

2　権利能力の始期と終期

　では、自然人は権利能力をいつ取得し、いつ失うのだろうか。

(1)　権利能力の始期

　3条1項は「私権の享有は、出生に始まる。」と定めることで、人が権利能力をもつのは出生時であることを示している。「出生」とは、より厳密には、胎児が生きて母体から全部出てきた時をいうと解されている（全部露出説。刑法では胎児の一部でも母体から出て来れば、その部分を傷害するなど母体から独立して侵害できるので、その段階で「人」として扱うという一部露出説が通説である）。

　これによれば、一方で、出生前の胎児は、権利能力をもたないため権利の主体となることはできず、他方で、出生後は、まさに生まれたての赤ん坊であっても、権利の主体となることができる。生まれたばかりの赤ん坊が、自分の意思で何かを購入するなどして権利を取得するということは実際には考えられな

いが、例えば父や母が赤ん坊の代理人として契約を結び、その赤ん坊に権利を取得させることは、実際にも十分にあり得ることである。

権利能力平等の原則

　3条1項は、自然人なら誰でも、出生によって権利能力をもつことを定めている。中世の封建社会においては、奴隷制や身分制が存在し、権利能力が認められない人間がいた。これに対して時代が近代に移り、人間の自由・平等に大きな価値が認められるにいたって、権利能力はすべての人に平等に与えられることとなり、現在の日本の民法にもその原則が引き継がれている。

　もっとも、同条2項は、外国人は一定の権利の享受を法令または条約の規定により禁止される場合があることを前提としている。実際、外国人による特許権の取得（特許法25条）や著作権の取得（著作権法6条）について制限が定められている（このほか鉱業法17条、87条も参照）。

---

(2) 胎児の特例

　前述のように、胎児には原則として権利能力がないが、例外的に権利能力が認められる場合がある。これは、そのように扱わないと、出生のタイミングが少し違っただけで、胎児に大きな不利益が生じることがあるからである。

　例えば、父が第三者に殺されたというときに、その殺害の直前に生まれていれば殺害をした不法行為者に対する損害賠償請求権（711条）を取得するのに、出生が父の殺害後であれば（父の殺害から子の出生までの時間がどれほどわずかであろうとも）損害賠償請求権を取得することはできなくなる。出生のタイミングが、自分でコントロールすることのできない偶然のものであることも考えると、わずかな出生のタイミングの違いによって、権利を取得できたりできなかったりすることは不当な差を設けているものと評価できる。

　このため、損害賠償請求権に関しては、胎児は「既に生まれたものとみなす」（721条）ものと定められている。既に生まれている、すなわち、権利能力をもつものとみなされる結果、父が殺害された当時、まだ胎児であったとしても、損害賠償請求権を取得できることになる。もっとも、死産となった場合に

第4章　権利の主体としての人　**075**

は、こうした保護を与える必要がなかったことになる。このときには721条は適用されないものと解されている。

　こうした胎児の権利能力に関する特例は、このほか相続（886条1項）と遺贈（965条が886条を準用）についても、同様の定めが置かれている（886条2項には胎児が死体で生まれた場合には、こうした擬制が行われないことが明文で定められており、965条がこれも準用している）。

(3)　権利能力の終期

(a)　死亡による権利能力の終了

　人の権利能力がいつ消滅するかについて、民法は直接の規定を置いていない。しかし、人が死亡することによって、その所有する財産が相続を通じて他人の所有物となる（882条）ことなどから、死亡によって権利能力が消滅すると解されている。

　「死亡」の判定は、自発呼吸の停止、心拍動の停止、そして瞳孔散大（対光反射の消失）という3つの兆候によって行うものとされている。なお、臓器の移植に関する法律6条1項柱書きには、「脳死した者の身体」を「死体」に含める旨が定められているが、脳死の場合に、いつの時点をもって民法上の死（つまり権利能力の喪失）と扱うかについて、民法理論上統一した見方はない。医療現場では、厚生労働省による「『臓器の移植に関する法律』の運用に関する指針（ガイドライン）」が、脳死判定時（6時間〔6歳未満の者の場合には24時間〕以上の間隔をあけて行われる2回の脳死判定検査の第2回目検査の終了時）をもって死亡時刻とする旨を定めており、それに従った扱いがされている。

(b)　同時死亡の推定

　人が死亡すると、その人の財産は相続人に相続される。ここで複数の人が死亡したときに、その先後のタイミング次第で、誰が相続人になるか（887〜890条）が変わったり、相続人が相続する額（遺言がないときには900条の定める法定相続分に従う）が変わったりする（→【図表4-1】）。

　しかし、複数の人がどのような順序で死亡したかを確定できない場合もある。例えば、Aは交通事故にあって死亡し、同じ頃にBは雪山で雪崩に巻き込まれて死亡したという場合には、それぞれの死亡時刻が厳密には確定でき

【図表 4 - 1】死亡のタイミングと相続

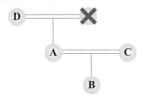

・AとCの夫婦の間に子Bがいる
・Aの親Dがいる（他方の親は既に死亡している）
　（これ以外には相続人となり得るものはいないとする）
・AもBも600万円の財産をもっている

Aが先に死亡した場合

①Aが死亡→BとCが½ずつ相続する

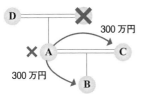

Bの財産＝元々持っていた600万円＋相続した300万円
Cの財産＝Aから相続した300万円

②Bが死亡→Cが全額を相続する

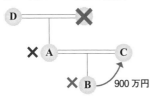

Cの財産＝Aから相続した300万円＋相続した900万円

Bが先に死亡した場合

①Bが死亡→AとCが½ずつ相続する

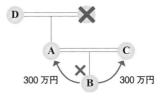

Aの財産＝元々持っていた600万円＋相続した300万円
Cの財産＝Bから相続した300万円

②Aが死亡→Cが⅔を、Dが⅓を相続する

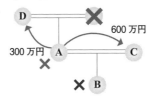

Cの財産＝Bから相続した300万円＋Aから相続した600万円
Dの財産＝Aから相続した300万円

AとBが同時に死亡した場合
（AとBの間では互いに互いの財産を相続しない）

Aの財産の相続
Cが⅔を、Dが⅓を相続する

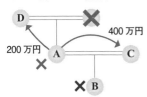

Cの財産＝Aから相続した400万円
Dの財産＝Aから相続した200万円

Bの財産の相続
Cが全額を相続する

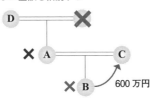

Cの財産＝Bから相続した600万円

合計でCは1000万円、Dは200万円を取得する

ず、どちらが先に死亡したかがわからないということが起こりうる。これでは、相続がどのように行われるかが確定できないことになってしまう。そこで民法は、このように複数の人の死亡の順序を確定できないとき（法律の表現では「数人の者が死亡した場合において、そのうちの1人が他の者の死亡後になお生存していたことが明らかでないとき」）には、「これらの者は、同時に死亡したものと推定する」ことにした（32条の2）。AとBが同時に死亡したとすると、Aが死亡した瞬間にはBもまた死亡している（逆も同様）から、Aの財産をBが相続することはない（逆も同様）ことになる。

「推定する」と「みなす」

　32条の2では、一定の場合に「同時に死亡したものと推定する」と定められ、721条では、一定の場合に「胎児は……既に生まれたものとみなす。」と定められている。

　この「αであるものと推定する」と「αであるものとみなす」という定め方は、いずれも、本当にαという事実（ここでは「同時死亡」あるいは「胎児の出生」）があったことが証明されているわけでもないのに、αという事実があったものとして扱うという点で共通する。しかし、両者には、決定的な違いがあるので、混乱しないようにする必要がある。

　「推定する」という場合には、αという事実がなかったことが証明された場合、αという事実があったという扱いはやめてしまう。ここでの例で言えば、2人の人が別々の時に死亡していたことが証明されたならば、同時に死亡したとの扱いを行わず、それぞれが実際に死亡した時点で死亡したものとして、相続のルールを適用することになる。

　これに対して「みなす」（「擬制する」ともいう）という場合には、αという事実がなかったことが証明された場合であっても、αという事実があったものとしての扱いを続ける。ここでの例で言えば、不法行為の時点で胎児が生まれていなかったことが証明されたとしても（そして実際にはその証明は容易なのだが）、「胎児は既に生まれていた」ものとして、不法行為のルールを適用することになる。

　こうした違いは、「推定する」という場合には「反証が許される」、「みなす」という場合には「反証が許されない」と表現される。

3 失踪宣告

(1) 失踪宣告とは

社会の中では、残念ながら、ある人の行方がわからなくなり、生死不明の状態となることもある。そうなるとその人の権利能力が消滅しているのかどうかが定まらない。例えばその人が所有していた財産について相続が開始するか否かも定まらないこととなることとなる。こうした不確定な状況がいつまでも続くことは適当ではない。

そこで民法は、失踪宣告という制度を用意している。これは、ある人の生死が不明の状態が一定期間続いているときに、家庭裁判所の審判によって、この者を死亡したものとみなし、法律関係を確定させようとする制度である。

(2) 失踪宣告の要件

(a) 家庭裁判所における審判

失踪宣告は、普通失踪と特別失踪に分かれる。いずれについても、家庭裁判所が失踪の宣告をすることが要件となる点は共通している。失踪宣告は、人の死亡を擬制するという重大な効果をもつ制度であるから、その要件の存否を慎重に審査する必要があるとともに、いつ死亡したことにするのかを明確に定める必要がある。このため、家庭裁判所における審判手続を経た上で行うこととされている。

そしてこの手続は、利害関係人が申立てをしなければ始まらない。利害関係人というのは、不在者の死亡（失踪宣告による死亡の擬制）によって権利を得たり、義務を免れたりするなど、権利関係に影響を受ける者をいう。例えば不在者の配偶者、その子供などの推定相続人、あるいは不在者にかけられた保険の保険金受取人などがこれに当たる。

(b) 生死不明の状態が継続すること

こうした手続を行う前提として、ある者の生死不明の状態が一定の期間継続することが要件となるが、その期間についての定めが、普通失踪と特別失踪とでは異なる。

普通失踪においては、「不在者の生死が7年間明らかでない」ことが要件と

第4章 権利の主体としての人 | 079

なる（30条1項）。

　これに対して特別失踪においては、ある者が「死亡の原因となるべき危難に遭遇」したことを前提に、その生死が「危難が去った後1年間明らかでない」（同条2項）ことを要件としている。特別失踪においては、危難に遭遇していることから死亡している可能性がより高いと考えられ、このため、生死不明の期間が1年間で足りるとされている。「死亡の原因となるべき危難」について、民法には「戦地に臨んだ者」と「沈没した船舶の中に在った者」が例示されているが、このほか飛行機事故や災害に巻き込まれて行方がわからなくなっている者などを例として挙げることができる。

　普通失踪の要件の中に現れる「不在者」というのは、「従来の住所又は居所を去った者」（25条）と定義されている。住所とは「生活の本拠」（21条）と定義されている。通常は、住んでいる家の所在地が住所となるだろう。居所とは、人がある程度継続して居住しているが、住所ほどに密接な結びつきをもたない場所をさすとされており、人に住所がないとき、あるいはその住所が不明であるときに、住所とみなされることとなっている（23条1項）。

　こうした住所または居所から離れれば「不在者」となるが、しかし不在者のすべてが生死不明となるわけではない。長期の海外出張に出ている者は、「住所を去った」ことになるから不在者となる（したがって25条から29条までに定める不在者の財産管理の規定が適用される）が、失踪宣告の対象とはならない。失踪宣告の対象となるのは、生死不明の状態が継続している者である。

(3)　失踪宣告の効果

　家庭裁判所が失踪を宣告すると、その宣告を受けた者は、死亡したものとみなされる（「死亡を擬制する」という）。もっとも、その効果は、失踪者の従来の住所を中心とする法律関係を清算するだけで、その権利能力まで奪うものではないとされている。抽象的な説明ではわかりにくいので、具体例で説明しよう。

　Aは配偶者Bとともに甲市にマイホームを買って住んでいたが、ある日Bに何も告げることなく自宅を出て行方不明になったとしよう。やがて7年の歳月が経ち、Bの申立てによって失踪宣告がされたとする。しかし、実はAは

生きており、甲市から遠く離れた乙市で暮らしていたとしよう。

このとき、失踪宣告の効果として、AB間の婚姻関係は解消され、住宅をはじめとするA所有の財産について相続が開始する。つまり、従来の住所を中心とする法律関係は、清算される。しかし、実際には乙市で生きているAは、生活をしていくために、さまざまな権利を取得し、義務を負担しているだろう（例えば仕事をして給料を受け取り、その給料でアパートを借りたり、食料をはじめとする生活必需品を購入しているだろう）。Aが（自分では知らないうちに）失踪宣告を受け、死亡が擬制されているからといって、乙市を本拠とした生活の中でAが行っている上記のような取引が無効になるわけではない。つまり、Aの権利能力が奪われてしまうわけではないのである。

(4) 失踪宣告と死亡擬制時

失踪者はいつ死亡したことになるのか。この死亡擬制時については、普通失踪と特別失踪とで異なる定め方がされている（→【図表4-2】）。

「とき」と「時」の違い

民法30条1項は、普通失踪について「不在者の生死が7年間明らかでないときは、……失踪の宣告をすることができる。」と定め、31条では失踪宣告の効果を「前条第一項の規定により失踪の宣告を受けた者は同項の期間が満了した時に、……死亡したものとみなす。」と定めている。「とき」と「時」と、表記が使い分けられていることに注目しよう。

「とき」と書かれているときには、「ある場合には」という意味（仮定的条件）を表す。これに対して「時」と漢字を使うのは、「ある時点で」という意味を表している。漢字で書くか、ひらがなで書くかによって、用語の意味が変わるのである。

32条は、失踪宣告の取消しが行われる要件について、「失踪者が……前条に規定する時と異なる時に死亡したことの証明があったときは……」と定めている。ここでも、死亡の「時点」を表すには漢字で「時」と、証明があった「場合」を表すにはひらがなで「とき」が使われている。

第4章 権利の主体としての人 **081**

【図表 4-2】失踪宣告と死亡擬制時

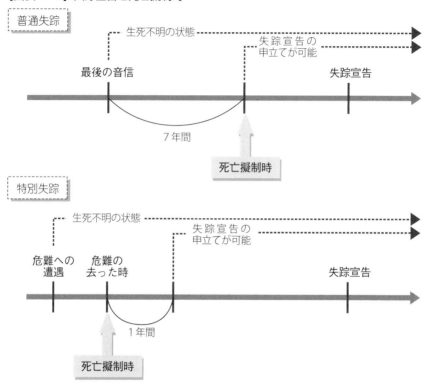

　普通失踪においては、30条1項の期間が満了した時、すなわち生死不明となる前の最後の音信があった時から7年の期間が満了した時に死亡したものとみなされる（31条前段）。これに対して特別失踪においては、死亡の原因となるべき危難が去った時（例えば戦争が終わった時）に死亡したものとみなされる（31条後段）。

　特別失踪においては、死亡の原因となるような危難に遭遇しているのであるから、その危難が去った後さらに1年間生存し、その後に死亡したと考えることは不自然である。これに対して、普通失踪においては、そうした危難に遭遇していないことが前提であるから、生死不明になった直後に死亡していると考える方が不自然である。これが、普通失踪と特別失踪で死亡擬制時について異なる定め方をしている理由である。

(5) 失踪宣告の取消しとその要件

失踪宣告によって、失踪者は死亡したものと扱われることになる。しかし、失踪者が実は生きていて、それが後から判明することもある。この場合、失踪者（その他の利害関係人）は、失踪宣告の効力を否定し、例えば相続などもなかったことにできるのであろうか。

失踪宣告は、失踪者を死亡したものと「みなす」（擬制する）制度であるが、この「みなす」というのは、事実がそれと異なることが明らかになったとしても、それだけでは法的効果が覆らないという意味をもつ（78頁の【コラム】を参照）。このため、単純に失踪者が生きていたことが判明したというだけでは、失踪宣告の効力は否定されない。失踪宣告の効力を否定するためには、再び家庭裁判所において、失踪宣告の取消しという手続を経ることが必要である。

失踪宣告の取消しのためには、失踪者が生存することが証明されるか、または、失踪者が実際に死亡したのが死亡擬制時とは異なる時点だったことが証明される必要がある。この場合には、利害関係人からの申立てに基づいて、家庭裁判所は失踪宣告取消しの審判をすることとなっている（32条1項前段）。

(6) 失踪宣告の取消しの効果

失踪宣告の取消しにより、失踪宣告ははじめからなかったことになる（「遡及的に効力を失う」という）。つまり、相続は生じなかったことになるから失踪者は財産を取り戻すことができるし、配偶者との間の婚姻の解消もなかったことになるのが原則である。

しかし、これを貫くと、失踪宣告が行われた（失踪者の死亡が擬制された）ことを信頼していた者が不測の不利益を被ることになりかねない。そこで、こうした者に対する保護が設けられている。これについて、①失踪宣告によって開始した相続の効力、②失踪宣告後に行われた取引の効力、そして③失踪宣告によって生じた婚姻の解消（その後に失踪者の元配偶者がした再婚）の効力にわけて見ていくこととしよう。

(a) 失踪宣告によって開始した相続の効力

失踪宣告が取り消されれば、失踪宣告ははじめからなかったものとして扱うのだから、相続もなかったことになる。例えば、Aについて失踪宣告が行わ

れ、これによってAの財産である500万円の現金（「甲」という）を相続人Bが相続していたとしよう。ここで、相続がなかったことになるというのを貫徹すれば、BはAに対して甲を返還する義務を負うことになる（32条2項本文）。

　しかし、いつAの生存が明らかになり、甲の返還義務が課されるかわからないということになれば、結局のところBは甲を使うことはできない。これでは、生死不明者をめぐる法律関係を清算し、法律関係を確定するという失踪宣告の制度を設けた意味がなくなってしまう。

　そこで民法は、返還義務の範囲について、財産の取得者（ここではB）は現に利益を受けている限度で返還すればよいと定めている（32条2項ただし書）。言い換えれば、相続によって取得した財産のうち、既に消費してしまったものについては、返還しなくてよいと定められているのである。

　ただし、こうした返還義務の軽減を受けられるのは、失踪宣告が事実と異なること（実際には失踪者が生存していること）を知らなかった取得者（善意の取得者）に限られると解されている。民法の条文上は、取得者の善意・悪意を区別していないが、失踪者が実は生存していること（したがって本来自分は相続できないこと）を知りながら、失踪宣告に基づく相続によって財産を取得した者については、保護をする必要がないと考えられるからである。

(b)　失踪宣告後に行われた取引の効力

　次に、失踪宣告に基づいて財産を相続した者が、この財産を売却するなど、第三者との間で取引した場合を考えてみよう。例えば、Aについて失踪宣告が行われ、これによってAの財産である住宅（「甲」という）を相続したBが、第三者Cとの間で甲の売買契約を締結したところ、後にAの失踪宣告が取り消されたとしよう。

　この場合も、失踪宣告の取消しにより失踪宣告ははじめからなかったものとして扱うという原則を貫徹すれば、Bが相続により甲の所有権を取得することもなく、したがってCも甲の所有権を得られなかったことになるはずである。しかし、ここでも例外が定められている。すなわち、「善意でした行為の効力に影響を及ぼさない」ということが、32条1項後段に定められている。

　問題となるのは、誰の善意が必要かということである。これについて判例は、取引の両当事者が善意であること（つまり「実はAが生きている」ということ

をＢもＣも知らずにいたこと）が必要であるとしている（大判昭和13・2・7民集17巻59頁）。これは、真の権利者であるＡから権利を奪うという重大な結果を生じさせるためには、契約の両当事者が善意であることが必要だという判断に基づくものと考えられる。これに対して学説には、32条１項後段は、取引の相手方であるＣを保護するための規定であるから、Ｃが善意でありさえすれば、取引を有効にしてよいとする反対説が存在している。

(c) 失踪宣告によって生じた婚姻の解消の効力

失踪宣告が取り消されると、それに基づく婚姻の解消もなかったことになるのだろうか。これはとりわけ、失踪者の配偶者であった者が再婚していた場合に、前婚（失踪者との婚姻）と後婚（再婚）のいずれが有効となるのかという問題として論じられてきた。

かつては、こうした家族関係に関する行為（身分行為という）についても32条１項後段を適用し、後婚の当事者がいずれも善意であれば、後婚が有効なものとなり、前婚は復活せず、逆に後婚の当事者のいずれかが悪意であれば後婚は無効であり、前婚が復活するとの解釈が有力であった。

しかし最近では、後婚の当事者の善意・悪意を問わず、常に後婚が有効であり、前婚は復活しないという見解が有力である。後婚を無効にするというのは、とりわけ未成熟の子供がいる場合を考えれば、簡単なことではない（これに対して、前婚は、一方当事者の死亡の擬制によって一度は婚姻関係が終了したのである）。また、普通失踪の場合を考えれば、配偶者が７年間も生死不明の状態であったというのは、３年以上の生死不明（770条１項３号）や悪意の遺棄（同項２号）に該当し、離婚原因が存在することになる。前婚は復活しないという見解は、こうしたことを理由として挙げている。

Ⅲ　意思能力

1　意思能力とは

契約（を含む法律行為）は、意思表示を不可欠の要素とし、意思表示の内容どおりの権利義務関係を生じさせる制度であった。例えば、ＡとＢが、Ａの所

有する甲土地を1000万円で売買するという意思をもち、これを互いに表示することによって売買契約を成立させたときには、その内容どおりに甲の所有権をAからBに移し、他方でAはBに対する1000万円の代金債権を取得するという効果が発生することになる。

　しかし、こうした結論を導くためには、ひとつの前提が必要である。それは、契約の当事者が、「甲を売る」「1000万円の代金を支払う」といった取引の内容をきちんと理解すること、そうした意思表示を行うことでどのような結果になるかを予測するだけの知的能力（判断能力）があることである。例えばAが幼児であれば（甲は相続によって取得していたとしよう）、「甲を売る」という取引の内容を理解することも、その結果を予測することもできないだろう。Aは土地の価値がわからないだろうから、大好きなお菓子との交換に応じてしまうかもしれないし、また「売る」ということが「取り戻すことができない」という結果を導くことを予測できないだろうから、「やっぱり返して」と言い出すかもしれない。

　以上のような理由から、民法は、法律行為が有効に成立するためには、「意思能力」が必要であると定める。

　ここで意思能力とは、一般的には、法律関係を発生させる意思を形成し、それを行為の形で外部に発表して、結果を判断・予測できる知的能力と定義されている。その知力の程度については、おおよそ7歳から10歳くらいの者の知的能力と言われるが、実際の事例では、個人差もあり、問題となる法律行為の重要さ・複雑さによって個別具体的に判断するものとされている。また意思無能力者というのは、例にあげたような幼児が典型的な例であるが、高齢や認知症などの病気のために知的能力が衰えて意思無能力になることもあるだろうし、アルコールや薬物の影響で一時的に意思無能力になることもある。

　意思能力を欠く者（意思無能力者）がした法律行為は無効になる（3条の2）。さらに、意思無能力者は、自分が受けた意思表示の意味を理解することもできないと考えられる。そこで、民法98条の2は、意思無能力者に対して意思表示をしても、効力が生じないものと定めている（→50頁）。

2 意思能力制度の問題点と行為能力制度の必要性

以上のように、意思能力制度によって、意思表示をするために必要な能力をもたない者は一定の保護を受ける。しかし、意思能力制度には、意思無能力者の保護にとって必ずしも十分ではないという問題と、意思表示の相手方に対して不測の不利益を生じさせる可能性があるという問題とが存在している。

(1) 意思無能力者にとっての問題

意思無能力者にとっての意思能力制度の問題の第一は、ある人が意思表示をした当時に意思能力を有していたかどうかを、後から証明することが容易ではないということである。前述のとおり、意思表示をするために必要な知的能力の基準は、それ自体が抽象的なものである。そもそも知的能力の発達は、個人差も大きい。高齢や病気を理由とした知的能力の低下は、日により時間により刻々と状況が変化するとも言われている。

さらに、意思表示をする知的能力がないのであるから、自分のした意思表示に問題があると認識することも、それに基づいて自分のした意思表示が無効であると主張することもできないだろう。ここに意思能力制度の問題の第二がある。

第三の問題として、意思無能力者のする意思表示が無効なのだとしたら、この者は有効な取引を行う可能性がなくなってしまうということが挙げられる。それでは、衣食住といった生活に必要な事柄に関する契約を結ぶこともできないこととなる。単に法律行為を無効とするだけではなく、意思無能力者をより積極的に支援する制度が必要であろう。

(2) 相手方にとっての問題

さらに、意思能力の有無は、相手方から見て容易にわかる場合ばかりとは限らない。日常の会話にはまったく問題がなく、相手方としては、契約内容も問題なく理解してもらえたものと思って契約を締結したところ、後から実は意思能力が欠けていたとして、突然に契約の無効を主張されるということも起こりうる。繰り返しになるが、意思能力の有無の判断基準が抽象的であることや、

その能力には個人差があることも、こうした問題を大きくしている。

(3) 求められる制度

　以上の問題をまとめると、意思能力制度に加えて、次のような制度が必要であると言える。

　第一に、保護されるか否か（契約の効力が否定されるか否か）を、取引の都度、抽象的な基準に照らして判断するのではなく、取引時点で明確にわかるようにすることが必要である。これによって、保護を受ける必要のある者の側にとっては、保護を受けるために難しい証明を強いられることはないし、相手方にとっても、不測の不利益を受ける危険を減らすことができる。

　第二に、保護を受ける必要のある者の行為をすべて一律に無効にするのではなく、その生活に必要な行為について、有効な法律行為を行うことができるようなしくみになっていなければならない。

　第三に、保護を受ける必要のある者には、問題のある取引を行ってしまったときに対処をしてくれ、また必要な取引をすることを助けてくれる保護者をつけることが必要である。

　これらの必要性を満たすために設けられているのが、行為能力制度である。次節では、行為能力制度について説明をすることにしよう。

IV　行為能力

1　行為能力とは

(1)　行為能力の定義

　前述のとおり、意思能力制度の問題点を補完するために設けられているのが、行為能力制度である。行為能力とは「法律行為を単独で有効に行うことができる法律上の資格」と定義される。逆に言えば、行為能力を制限された者（「制限行為能力者」という）は、単独で有効な法律行為をすることができないということである。

【図表4-3】行為能力制度の概要

被保護者の種類	年齢によるもの	精神上の障害によるもの（成年後見制度）			
	未成年者	法定後見			(参考)任意後見
		成年被後見人	被保佐人	被補助人	(本人)
条文	4-6,20,21 818-837（親権）, 838-875（後見）	7-10,19-21 838-875	11-14,19-21 876-876の5	15-21 876の6-876の10	任意後見契約に関する法律

要件		年齢・判断能力	18歳未満の者	精神上の障害により事理弁識能力を欠く常況にある者	精神上の障害により事理弁識能力が著しく不十分である者	精神上の障害により事理弁識能力が不十分である者	①任意後見契約の登記、かつ ②精神上の障害により本人の事理弁識能力が不十分な状況にあるとき
		家裁の審判	不要	必要 （後見開始の審判）	必要 （保佐開始の審判）	必要 （補助開始の審判）	必要（任意後見監督人選任の審判）
		本人の同意	———	不要	不要	必要	必要

機関	保護機関	親権者 / 未成年者後見人	成年後見人	保佐人	補助人	任意後見人
	監督機関	なし / 未成年者後見監督人	成年後見監督人	保佐監督人	補助監督人	任意後見監督人（必置）

本人の行為能力（できること）

	未成年者	成年被後見人	被保佐人	被補助人（同意権付与審判あり）	被補助人（同意権付与審判なし）	(本人)
	①権利を得、義務を免れるだけの取引 ②法定代理人より（目的を定めてまたは定めずに）処分を許された財産を用いた取引 ③法定代理人より許された営業の範囲に属する取引	日用品の購入、その他日常生活に関する行為 （これ以外の行為については、後見人の同意を得ても、有効な行為を行うことはできない）	①特定の行為（「重要な財産の取引」（13条1項）および家庭裁判所に指定された行為）以外のすべての行為 ②日用品の購入、その他日常生活に関する行為	家裁の指定した行為（13条1項にあげる行為の一部）以外のすべての行為	すべての行為（行為能力の制限なし）	すべての行為（行為能力の制限なし）

保護機関の権限

	未成年者	成年被後見人	被保佐人	被補助人（同意権付与審判あり）	被補助人（同意権付与審判なし）	(本人)
同意権	あり	なし（後見人の同意があっても、被後見人は有効に行為できない）	あり	あり	なし（行為能力の制限なし）	なし（行為能力の制限なし）
取消・追認権	あり	あり	あり	あり	なし	なし
代理権	あり（すべての行為）	あり（すべての行為）	代理権付与の審判（本人の同意要）があればあり	代理権付与の審判（本人の同意要）があればあり		任意後見契約で定められた代理権

※任意後見については、101頁の【コラム】を参照

第4章 権利の主体としての人 **089**

(2) 行為能力制度の特徴

　行為能力制度は、大きく分けて、未成年者保護制度と成年後見制度の２つに
わかれる。その両者に共通する特徴を、前述した意思能力制度の問題点（＝行
為能力制度の必要性）と対比しながら挙げると、次の３点にまとめられる。

　第一に、誰が行為能力を制限されているかということは、形式的な基準によ
ってあらかじめ定められているという特徴がある。「形式的な基準」というの
は、未成年者保護制度であれば年齢であり、成年後見制度であれば家庭裁判所
による審判である。これによって、意思能力制度の場合のように、抽象的な基
準に照らしたケース・バイ・ケースの判断をする必要がなくなる。

　第二に、制限行為能力者のした法律行為は、一律に無効にされるのではな
く、取消可能な行為になるものとされている。取消可能な行為については既に
第３章で説明をしているが、制限行為能力者の側から取消権を行使すると、そ
れによって無効になる（これによって不利な契約から逃れることができる）。逆に、
取消権を行使するまでは有効な法律行為として扱われる（さらに追認によって確
定的に有効な行為とすることもできる）。

　第三に、行為能力を制限された者には、保護者が付されることになる。保護
者には、制限行為能力者が行った行為を取り消すか追認するかを判断する権限
（取消権・追認権）、制限行為能力者に代わって法律行為を行う権限（代理権）、
そして制限行為能力者自身が有効な法律行為を行うことができるようにするた
めの同意を与える権限（同意権）をもつ。こうしたさまざまな権限をもつ保護
者が付くことによって、制限行為能力者にとって必要な行為が有効に行われる
可能性が開かれ、また制限行為能力者が問題のある取引をしてしまったときに
も適切な対処が期待できる。

(3) 各制度を理解する際のポイント

　以下では、行為能力制度について、未成年者保護制度、成年後見制度の順で
説明をしていく。その際ポイントとなるのは、次の３点である（【図表4-3】
も参照）。

　第一に、行為能力が制限される際の形式的な基準がどのようなものであるか
を理解することである。成年後見制度においては、保護の必要性に応じてさら

に３つの類型に分かれるので、未成年者保護制度と合わせて４類型を考える必要がある。

第二に、それぞれの制限行為能力者に付される保護者がどういうもので、どのような権限をもつのかを整理することである。

第三に、それぞれの制限行為能力者が、どういった行為については行為能力を制限され（すなわちその行為は取消可能なものとなり）、どういった行為については行為能力を制限されないままとされるのか（すなわち単独で有効な行為ができるのか）を整理することである。

2　未成年者保護制度

(1)　未成年者の定義

未成年者とは、成年に満たない者をいう。この「成年」は、民法では「年齢18歳」と定められている（４条）。

未成年者が法律行為をするには、保護者の同意が必要であり（５条１項本文）、同意なくして行われた法律行為は取り消すことができるものとなる（同条２項）。つまり、未成年者は、単独で有効な法律行為をすることができないとされているのであり、制限行為能力者とされていることがわかる。

(2)　未成年者の保護者

(a)　法定代理人（親権者・未成年後見人）

未成年者に付される保護者は、民法の条文では「法定代理人」と規定されている（例えば５条１項本文）。これは、「親権者」と「後見人（未成年後見人）」とを合わせた呼び方である。法定代理という呼び方については、代理に関する説明（→109頁）で詳しく説明をする。

親権者とは、「親権」をもつ者をいう。そして親権をもつのは、未成年者の父母（すなわち両親）である（818条１項）。このため、親権者は、家庭裁判所の選任などといった手続を要することなく、自動的に定まるという特徴がある。なお父母が離婚している場合、父母の一方が死亡している場合、そのほか父母の一方が親権を行うことができない場合（例えば834条の定める親権喪失や、834条の２の定める親権停止）には、父母いずれか一方が単独で親権を行うものとされ

第４章　権利の主体としての人　091

ている（819条、818条3項ただし書）。

　父母がいずれも死亡してしまった場合、そのほか父母のいずれもが親権を行うことができない場合には、未成年者に親権を行う者がいないこととなる。この場合には、未成年者を保護するために「後見人」（後述の成年後見制度と区別する際には未成年後見人と呼ぶ）が付されることになっている（838条1号）。

　誰を後見人にするかは、親権者（「最後に親権を行う者」）が遺言で指定することができる（839条）。こうした指定がなかったとき、あるいは親権者の死亡以外の理由で親権を行う者がいなくなったときには、家庭裁判所が後見人を選任する（840条、841条）。

(b)　法定代理人の権限

　既に述べたとおり、法定代理人の同意なくして未成年者が法律行為を行った場合には、その行為は取り消すことのできる行為となる。言い換えれば、法定代理人は、未成年者の行為に対する同意権を有している。

　同意を得ずに未成年者が行った行為については、法定代理人が取り消すことができる（120条1項）。法定代理人はまた、未成年者がした行為を取り消す必要がないと判断するのであれば、その行為を追認することによって、当該行為を有効なものとして確定させることができる（122条）。すなわち、法定代理人は、取消権および追認権をもつ。なお、取消しおよび追認は、法定代理人が未成年者の取引相手となった者に対して一方的な意思表示をすることで行うもので、法律行為の中でも単独行為に分類される（単独行為については19頁を参照）。

　最後に、法定代理人は、未成年者本人に代わって法律行為を行うことができる（親権者について824条、後見人について859条）。この権限を代理権という（代理権については第5章を参照）。未成年者が高校生であれば、法定代理人の同意を得た上で未成年者自身が法律行為を行うことも可能だろうが、生まれたばかりの赤ん坊などを考えれば、未成年者本人が法律行為をすることができない場合のあることがわかるだろう。こうした場合にそなえて、法定代理人には未成年者を代理する権限が与えられているのである。

(3)　未成年者の行為能力

　前述のとおり、未成年者は、原則としてすべての行為について行為能力を制

限されている（法定代理人の同意なくして、有効な行為ができないとされている）。しかし、例外が3つ存在している。

第一は、未成年者にとって「単に権利を得、又は義務を免れる法律行為」である（5条1項ただし書）。典型例として、未成年者が何の負担もなしに財産の贈与を受けるという契約を締結することが挙げられる。こうした行為は、未成年者が不利益を受けるおそれがないので、未成年者自身が単独で行っても、有効な法律行為となる。

第二に、法定代理人が未成年者に対して、あらかじめ一定の財産について処分を許していた場合、この財産を処分する法律行為については、未成年者が単独で行うことができる。典型例は、親が未成年の子供にお小遣いを渡し、子供がこのお小遣いによって何か物を購入するような場合である。このとき法定代理人は、財産処分の目的（お小遣いの使い道）を、「学校の授業で使うノートを買うため」というように限定することもできるし（5条3項前段）、「なんでも好きなものを買いなさい」というように目的の限定をせずにおくこともできる（同項後段）。目的の限定がされているときには、もちろん、未成年者のした法律行為は、それがその目的の範囲内にあるときにのみ有効な行為となる。こうした場合には、法定代理人が、事前に同意を与えていたものと見ることができるために、未成年者の行為能力の制限が解除される。

第三に、法定代理人が未成年者に対して、あらかじめ営業をすることを許していた場合、この営業に関する法律行為は、未成年者が単独で行うことができる（6条1項）。これも、法定代理人が、事前に包括的な同意を与えていたものと見ることができることが、未成年者の行為能力の制限を解除する理由である。法定代理人が許可を与えるに際しては、例えば「アクセサリー類の販売」といったように、種類を特定することが必要である。他方で、未成年者が有効に行為をすることができるのは、許された営業に「関連する」行為に広く及ぶものとされており、販売業の場合であれば、販売（売買）契約の締結だけではなく、商品の仕入れ、店舗の賃借、資金の借入れ、従業員の雇用など、許された営業を行うために直接・間接に必要な行為が含まれる。

なお、このように未成年者は行為能力を制限されているが、他人のした意思表示を受領する能力も制限されている（→50頁）。

第4章　権利の主体としての人 ┃ 093

3 成年後見制度

(1) 成年後見制度の概要

既に説明をしたとおり、未成年者については、行為能力を制限し、法定代理人を付すことによる保護の制度が定められている。しかし、成年者となっても、取引をするための知的能力（民法では「事理を弁識する能力」と定められており、一般に「事理弁識能力」と呼ばれている）が十分ではないために、同じように保護が必要な者がいる。そこで民法は、成年者についても、行為能力の制限と保護者の選任を通じた保護を実現するための制度を設けている。この制度を成年後見制度という。

もっとも成年後見制度においては、未成年者の場合と異なり、保護を受ける者自身の事理弁識能力の程度に応じて、その自己決定を可能な限り尊重しようとする要請（ノーマライゼーション normalization と言われる）に対する配慮がされている。具体的には、事理弁識能力の程度に応じて3つの類型に分けた上で、類型ごとに行為能力が制限される度合いを異なるものにしている。また、事理弁識能力の低下の程度がごく軽い場合には、行為能力を制限せずに、保護者のみを付すことも可能な制度設計が行われている。

成年後見における3つの類型とは、事理弁識能力の低下が大きい順に、後見、保佐、補助である。以下では3類型を対比しながら、成年後見制度が開始するための手続と要件、保護を受ける者の行為能力の制限の内容、そしてそれぞれの類型において付される保護者の権限の順に説明することとする。

(2) 成年後見制度開始の手続と要件

(a) 手続に関する要件：家庭裁判所による審判

成年後見制度は、未成年者に対する保護と異なり、家庭裁判所が保護を開始する旨の審判（後見開始・保佐開始・補助開始の審判）を行うことによって開始される（7条、11条、15条1項）。

開始の審判を申し立てることができるのは、保護が必要とされる本人、配偶者、4親等内の親族、既に本人に付されている保護者がいるときはその保護者、または検察官（「公益の代表者」としての職務の一環であるが、実際にはほとんど

例がない）である。これらの者の申立てがあると、家庭裁判所は、本人の事理弁識能力についての医学的な検討も踏まえつつ、保護の必要性を考慮して、成年後見制度による保護を開始するか否かについて審判という手続で判断を行う。

さらに、補助開始の審判をするにあたっては、本人自身が審判を申し立てるか、本人の同意があることが必要である（15条2項）。補助類型は、事理弁識能力の低下の程度が最も小さい場合における類型であるが、この場合には、本人自身の判断をも尊重するという趣旨で、こうした要件が設けられている。

> **市町村長による審判開始の申立て**
>
> 　民法は、保護を開始する審判の申立てを行う者として、一定の範囲の親族を念頭においている。しかし、高齢者福祉・障害者福祉については、行政（直接の窓口は市町村）もまた役割を担っており、その役割は年々大きくなっている。こうした福祉行政に関する法律の中では、市町村長に保護を開始する審判の申立権を与えている（老福32条、知的障害28条、精神51の11の2）。例えば身寄りのない高齢者を高齢者施設に入居させるに際して、高齢者本人には契約を締結するだけの判断能力がないということもあり、そうした場合には後見人等を付して、高齢者を代理して契約を締結することが必要となるからである。
>
> 　さらにこれらの法律では、後見人等として適切な人材を家庭裁判所に推薦するなどの措置を市町村や都道府県が講ずるべきことを定めている（老福32条の2、知的障害28条の2、精神51条の11の3）。

(b)　本人の知的能力に関する要件

　家庭裁判所が、成年後見制度による保護を開始する旨の審判をするためには、本人が、取引において自己の利益を守るのに十分な事理弁識能力をもたないため、保護の必要があると判断されることが要件となる。このとき、本人の事理弁識能力の程度に応じて、開始される制度は3つの類型に分けられる。

　事理弁識能力の低下の程度が最も大きい（つまり保護の必要性が大きい）類型である後見類型においては、本人が、「精神上の障害により事理を弁識する能力を欠く常況」にあることが要件とされている（7条）。「常況」とは、常にそ

第4章　権利の主体としての人　**095**

うした状態にあるという意味である。これが保佐類型となると事理弁識能力が「著しく不十分である者」(11条)、補助類型では事理弁識能力が「不十分である者」(15条1項)であることが要件となる。

(c) 保護の開始と当事者の名称

以上の要件を満たし、後見開始・保佐開始・補助開始の審判が行われると、その保護を受ける者はそれぞれ、成年被後見人・被保佐人・被補助人と呼ばれる(「被…」とは「…される」という意味がある。被害者、被相続人、被告、被上告人といった法律用語も同様である)。保護をする者は、成年後見人・保佐人・補助人である。

このほか、家庭裁判所が必要があると認めるときには、成年後見人・保佐人・補助人の職務を監督するための者をさらに選任することがある(849条、876条の3、876条の8)。これらの者は成年後見監督人・保佐監督人・補助監督人と呼ばれる。

(d) 開始の審判の取消し

成年被後見人について、事理弁識能力が回復し、保護の必要がなくなった場合には、家庭裁判所が後見開始の審判を取り消すことによって、保護を終了させる(10条)。保佐開始の審判の取消し(14条)、補助開始の審判の取消し(18条)についても同様である。

また、例えば、それまで補助開始の審判を受けていた者について、事理弁識能力がさらに低下したために、保佐開始の審判や後見開始の審判を行うことが必要となった場合、あるいは逆に、後見開始の審判を受けていた者について、事理弁識能力が回復したために、保佐開始の審判や補助開始の審判による保護に変更をしようという場合にも、それ以前に受けていた審判の取消しが行われる(19条)。言い換えれば、成年被後見人・被保佐人・被補助人としての保護を重複して受けることはできないのである。

成年後見登記制度

後見・保佐・補助の開始の審判が行われると、法務局という国の役所が管理する成年後見登記ファイルにその事実が記載される(後見登記4条)。しかし、この登記は誰でも閲覧できるわけではなく、保護を受ける本人とその保護者、

そして一定の範囲の親族だけが閲覧できる。これは本人のプライバシーを保護するためである。

　取引の相手方が、自分が取引をしようとしている者について後見等が開始されていないかを確認しようとすれば、その者に、成年後見登記に関する証明書の提出を要求することになる。法務局（なお東京法務局が日本全国の成年後見登記を扱っている）は、本人またはその保護者からの請求により、後見等が開始されていればその事実が記された登記事項証明書を、後見等が開始されておらず成年後見登記に記録がないのであれば「登記されていないことの証明書」（→【図表4 - 4】）を、それぞれ交付することになっている（後見登記10条）。

(3)　保護を受ける者の行為能力の制限の内容

　成年被後見人、被保佐人、被補助人の行為能力の制限の内容は、それぞれの開始要件（事理弁識能力の低下の程度）の違いを反映して、それぞれに異なっている。

(a)　成年被後見人の行為能力の制限

　このうち、事理弁識能力の低下の度合いが最も大きい成年被後見人は、行為能力の制限も最も大きくなっている。すなわち、成年被後見人の行為は原則として取り消すことができるとされており（9条本文）、例外的に「日用品の購入その他日常生活に関する行為」だけがそこから除外されている（同条ただし書）。

　成年被後見人は、事理弁識能力を欠く者であるため、ほぼすべての行為について有効な法律行為を行うことができない（すなわち行為能力を制限されている）とされており、ただ、ノーマライゼーションの要請を踏まえて、日常生活に関する法律行為については行為能力が認められているのである（ただし、意思能力を欠く状態で行為をしたのであれば無効になることは、前述のとおりである）。

　成年被後見人の場合にはさらに、未成年者（あるいはこの後で説明をする被保佐人・被補助人）の場合と異なり、保護者である成年後見人の同意を得たとしても、有効な行為を行うことができないことに注意が必要である（9条本文の文言を、5条1項本文・同条2項の文言と比較すれば明らかである）。これは、成年被

【図表4-4】 成年後見登記事項証明のイメージ

```
            登記されていないことの証明書

┌──────┬──────────────────────────────┐
│①氏  名│        民 山  法 子                │
├──────┼──────────────────────────────┤
│②生年月日│ 明治 大正 昭和 平成 令和  西暦  ︙  2 9 年  4 月  2 7 日 │
│      │ □ □ ☑ □ □  □                 │
├──────┼──────────────────────────────┤
│      │ 都道府県名          市区郡町村名           │
│      │ 東 京 都     大塚区             │
│③住  所│          丁目大字地番             │
│      │ 南豊島三丁目12番4号            │
├──────┼──────────────────────────────┤
│      │ 都道府県名          市区郡町村名           │
│④本  籍│ 京 都 府     京都市上賀茂区        │
│      │          丁目大字地番 (外国人は国籍を記入)     │
│□  国籍│ 青葉川271番地               │
└──────┴──────────────────────────────┘
```

上記の者について、後見登記等ファイルに成年被後見人、被保佐人とする
記録がないことを証明する。

令和4年4月1日

東京第一法務局　登記官　　　　　甲　野　太　郎

[証明書番号] 0000-0000A-00000

後見人は、事理弁識能力を欠く「常況」にあるため、同意のとおりに行為ができるとの期待がきわめて小さいからである。

　なお、成年被後見人も、未成年者と同様に、他人のした意思表示を受領する能力を制限されている（→50頁）。

　(b)　被保佐人の行為能力の制限

　被保佐人は、成年被後見人のように事理弁識能力を欠く常況にあるわけではないので、成年被後見人のように包括的に行為能力を制限されているわけではない。しかし、事理弁識能力が「著しく不十分」な状態にあるのであるから、

とりわけ重要な取引を行うことに対して、広い制限が設けられている。具体的には、13条1項の1号から10号に掲げる取引（銀行預金を解約すること、貸付を受けたり、他人の債務の保証人となること、不動産の売買を行うことなどがこれに当たる）を行うにあたって保佐人の同意を得ることが必要とされている。

さらに、家庭裁判所は、それ以外の取引についても、行為を特定した上で、保佐人の同意を得なければならない旨の審判をすることによって、被保佐人の行為能力をさらに制限することができるとされている（13条2項本文）。

ただし、これらの行為に該当する場合でも、それが「日用品の購入その他日常生活に関する行為」に当たるときには、保佐人の同意を得ずに被保佐人が単独で行為をしても、有効な行為となる（13条1項柱書ただし書、同条2項ただし書）。

(c) 被補助人の行為能力の制限

被補助人の事理弁識能力の低下の度合いは、被保佐人よりもさらに小さい。このため、家庭裁判所は、被補助人の行為能力を制限することまでは必要がないと判断するときには、被補助人の行為能力を制限しないでおくこともできる。

被補助人の行為能力が制限されるのは、家庭裁判所が補助開始の審判とは別の手続である「補助人の同意を要する旨の審判」（「同意権付与の審判」ともいう）を行ったときのみである。この同意権付与の審判は、13条1項に規定された行為（すなわち被保佐人の行為能力が制限される行為）のうち家庭裁判所が指定する一部の行為に限って、補助人の同意を得なければならない旨を定めるものである（17条1項）。ただし、この同意権付与の審判を行うためには、被補助人となる者の同意が必要である（17条2項）。

同意権付与の審判が行われ被補助人の行為能力が制限されている行為を、被補助人が、補助人の同意を得ずに行った場合、その行為は取り消すことのできるものとなる（17条4項）。ただし、それが「日用品の購入その他日常生活に関する行為」に当たるときには、補助人の同意を得ずに被補助人が単独で行為をしても、有効な行為となる（17条1項ただし書、13条1項柱書ただし書）。

このように、被補助人においては、行為能力の制限が最小限にとどめられるとともに、同意権付与の審判をするにおいてもその意思が尊重される（そもそ

第4章 権利の主体としての人 **099**

も補助開始の審判を行うのに、被補助人となる者の同意が必要であることは前述した）。これは、ノーマライゼーションの要請のもと、自己決定をできる限り尊重しようとする趣旨に基づいている。

(4) 成年後見制度における保護者の権限

後見・保佐・補助が開始されると、保護者として成年後見人・保佐人・補助人がおかれる。これらの者は、それぞれどのような権限をもつのだろうか。未成年者の法定代理人は、同意権、取消権・追認権、そして代理権をもっていた。これと対比しながら見ていくことにしよう。

(a) 成年後見人の権限

最初に成年後見人の権限を見ていくこととする。まず、成年後見人には、同意権がない。というのも、前述のとおり、成年被後見人は、仮に成年後見人の同意を得て行為をしたとしても、有効な行為をすることができないとされているからである。

これ以外の取消権、追認権、代理権について、成年後見人はこれらの権限をもつとされている（取消権について120条1項、追認権について122条、代理権について859条）。

(b) 保佐人の権限

保佐人の権限はどうだろうか。被保佐人は、13条1項に掲げる行為（あるいは同条2項で指定された行為）については、保佐人の同意を得なければならないとされているのだから、保佐人は同意権をもつ。そして、この同意を得ずに被保佐人が行った行為に対する取消権（120条1項）も、追認権（122条）もやはりもつ。

では、代理権はどうか。民法は、成年後見人と異なり、保佐人に自動的に代理権を与えてはいない。保佐開始の審判とは別に、保佐人に代理権を付与する旨の審判（876条の4。「代理権付与の審判」ともいう）を行わなければ、保佐人は代理権をもたないこととしている。この代理権付与の審判を行うには、被保佐人の同意が必要とされている。ここにも、本人の自己決定に対する配慮が見られる。

なお、代理権の範囲は13条1項（すなわち被保佐人の行為能力が制限される範囲）

に限られないし、また保佐人に代理権が与えられた事項について、被保佐人の
行為能力が制限されるわけではない。

(c) 補助人の権限

最後に、補助人の権限を見ていくことにしよう。

前述のとおり、補助開始の審判が行われても、被補助人の行為能力が制限さ
れるとは限らない。補助人のもつ権限も、これに応じて変わることとなる。

同意権付与の審判が行われたときには、補助人は、審判で指定された行為に
関して同意権をもつ（このとき被補助人の行為能力が制限されていることになる）。
そして、この同意を得ずに被補助人が行った行為に対する取消権（120条1項）
も、追認権（122条）もやはりもつ。逆に、同意権付与の審判が行われていなけ
れば、補助人は、こうした同意権・取消権・追認権をもたない。

代理権はどうだろうか。保佐人の場合と同様に、補助開始の審判が行われて
も、補助人は自動的に代理権を与えられるわけではない。補助開始の審判とは
別の手続である「補助人に代理権を付与する旨の審判」（876条の9。「代理権付
与の審判」ともいう）を行わなければ、補助人は代理権をもたない。この代理権
付与の審判を行うには、被補助人の同意が必要とされている。

なお、補助開始の審判を行うに際しては、同意権付与の審判か代理権付与の
審判の少なくとも一方を同時に行うことが必要とされている（15条3項。なお18
条3項も参照）。このため、補助人は、同意権か代理権の少なくとも一方の権限
を必ずもつこととなる。

任意後見

民法の定める成年後見制度は以上のとおりであるが、成年後見制度にはこれ
とは別に、任意後見制度が含まれる（任意後見制度に対して、民法の定める成年
後見制度は法定後見制度と呼ばれる）。任意後見制度は、本人の事理弁識能力が
低下する前に、本人自身が能力低下に備えて、自らが選ぶ者（任意後見人）と
契約（任意後見契約）を結んでおくという制度である。

任意後見契約は、締結の時点では、本人は十分な事理弁識能力をもっている
ものの、その契約が実際に効力を生じるのは、本人の事理弁識能力が低下した
後である。このため、任意後見契約に関する法律において、その締結にあたっ

第4章　権利の主体としての人　**101**

ての方式、効力、そして任意後見人の行為の監督に関する規定がおかれている。

それによれば、①任意後見契約は、公証人が関与する公正証書によって締結される必要があり（任意後見3条）、②本人の事理弁識能力が不十分になったことを要件として、家庭裁判所の手続によって任意後見人による保護が始まり（任意後見2条1号、4条）、③任意後見人は、家庭裁判所の選任する任意後見監督人の監督（およびそれを通じた家庭裁判所の監督）に服することとされている（任意後見7条、8条）。

なお任意後見においては、任意後見人に代理権が与えられるだけであり、本人の行為能力は制限されない。

任意後見契約が締結されている場合には、家庭裁判所は、本人の利益のために特に必要があると認めるときでなければ、法定後見を開始することができない（任意後見10条1項）。なお、このとき、法定後見の開始の審判を申し立てる権限は、任意後見人ももつものとされている（同条2項）。法定後見が開始すると、任意後見は終了する（同条3項）。

4　相手方の保護

ここまで、未成年者と成年後見制度に分けて行為能力制度（一部の被補助人は行為能力を制限されないことを考えると、この呼び方は必ずしも厳格ではないが）についてみてきた。制限行為能力者が行為能力の制限に違反して法律行為を行った場合には、その行為を取り消すことができる（取り消された場合の効果については68頁を参照）。こうした場合に、その行為の相手方となった者はどのような立場に立つのか、とりわけその保護の必要性と保護の内容について見ていくこととする。

(1)　相手方の催告権

取消可能な行為は、取消権者が取消権を行使すると最初から無効であったことになるが、取消権の行使までは有効な行為として扱われる（→67頁）。これは、相手方から見れば、法律行為が有効になるか否かが確定しないという不安

定な状態に置かれることを意味する。

そこで民法は、相手方が主導して法律関係を確定することができるように、相手方に催告権を与えて、その保護を図っている（20条）。催告というのは、取り消すことができる行為を追認するかどうか確答するように求めることである。もっともここで催告が意味をもつのは、単に確答するように求めることができるというだけではなく、制限行為能力者の側から確答が得られなかったときでも、追認または取消しが擬制され、法律関係が確定するという点にある。

こうした追認または取消しの擬制がされるためには、相手方が、適切な者を相手として催告を行い、さらにその際、1か月以上の返答期間を設けることが要件となる。擬制される効果（追認または取消し）は、誰を相手として催告を行ったかによって変わってくる。以下で説明をすることにしよう（なおこの項の説明は、行為能力の制限に反した行為の取消しが問題となる場面を念頭に置いているのであるから、以下の説明で補助人・被補助人というときには、被補助人が行為能力の制限を受けていることを前提とする）。

(a) 制限行為能力者一般について問題となる相手方の催告権

まず、相手方は、①行為能力の制限が解除された本人（未成年者がその後成年に達した場合や、成年被後見人について後見開始の審判の取消しが行われた場合など）、または②制限行為能力者の保護者（親権者、未成年後見人、成年後見人、保佐人、補助人）に対して、催告を行うことができる。これらの者はいずれも、法律行為を有効に行うことができる者（あるいは有効な法律行為となるように同意権を有する者）であることに注意が必要である。

これらの者に対して、追認するかどうかを確答するように、1か月以上の返答期間をおいた催告を相手方がすると、返答期間内に確答が発信されない場合には、行為が追認されたものとみなされる。すなわち、行為が有効なものとして確定することとなる（20条1項、2項）。制限行為能力者の側（制限が解除された後の本人、あるいは制限行為能力者の保護者）が、行為の取消しを望む場合には、返答期間内に取消しの意思表示を行うことが必要である。

(b) 被保佐人・被補助人に対する相手方の催告権

このほか、被保佐人・被補助人に限っては、相手方は、制限行為能力者本人に対して催告をすることができる（これに対して未成年者や成年被後見人に対して、

これらの者が行為能力の制限を解除される前に催告をしても、法律上の意味はない）。

　この場合、催告の内容は、保佐人または補助人の追認を得ることである。また、返答期間内に確答が得られなかった場合の効果も、取消しが擬制されることとなる（20条4項）。

　被保佐人・被補助人は、事理弁識能力の低下が成年後見人に比べて小さいことから、これらの者に対する催告も、法律上の意味が与えられているのである（被保佐人・被補助人は意思表示の受領能力がある。98条の2柱書本文）。しかし他方で、被保佐人・被補助人は、単独で有効な行為を行うことはできないのであるから、擬制される効果は追認ではなく、取消しだとされている。

(2)　制限行為能力者による詐術

　制限行為能力者の相手方となった者の保護としてはもうひとつ、制限行為能力者が、自己に行為能力があるものと相手方を信じさせるために相手方を騙した場合（詐術を用いた場合）に、制限行為能力者の側が取消権を失うというルールが存在している（21条）。

　ここまでの説明でも明らかなとおり、行為能力制度は、制限行為能力者を不利益な取引から保護することを目的としている。しかし、制限行為能力者が、詐術を用いて、取引が有効になるとの信頼を相手方に生じさせるような場合にまで、そうした保護を与えることは公平ではない。このため民法は、詐術を用いた制限行為能力者の取消権の喪失を定めているのである。

　取消権が失われる要件は、①制限行為能力者が、自分が行為能力者であると相手方に信じさせるために詐術を用い、②相手方が実際にそうだと信じることである。なお民法は「行為能力者であることを信じさせる」と定めているが、これは「自分は制限行為能力者ではない」と信じさせる（例えば未成年者が、自分は成人していると主張する）場合のほか、「自分は制限行為能力者だが、保護者の同意を得ている」と信じさせる場合も含むと解されている。

　制限行為能力者が、自分が行為能力者であると積極的に嘘をつく場合（年齢を偽るような場合）には、こうした詐術の存在を認定することは容易である。しかし、判例においては、そうした積極的な行為がない場合であっても、「相手方の誤信を誘起し、または誤信を強めた場合」には、「詐術」があったと認め

ている（最判昭和44・2・13民集23巻2号291頁）。例えば、年齢を問われた未成年者が「未成年者に見えますか」などと反問して（しかしことさらに成年者であるとの嘘をつくわけではなく）、相手方の誤信を誘発するような場合は、詐術に当たると考えられる。

物

　民法総則のうち第4章（85条から89条）は、「物（もの）」について定める。第2章人（3条から32条の2）、第3章法人（33条から84条）が権利の主体についての規定だったのに対して、第4章は権利の客体となる物（のうちの一部）についての規定である。民法の定める内容を簡単に見ていこう。

　物＝有体物：民法85条は、「物」とは「有体物」をいうと定めている。有体物とは、個体、液体、気体の形式で空間の一部を占めるものをいう。

　有体物でないものは、無体物という。電気、熱、光などのエネルギーは無体物である。このほか、情報やアイディア（そのうち一定のものは特許権や著作権など知的財産権としての保護を受ける）、さらには債権などの権利も無体物である。

　なお、刑法においては、窃盗、強盗、詐欺、恐喝といった財産罪について、電気を「財物」とみなす規定があり（刑法245条、251条）、有体物と同様に扱われる。

　不動産と動産：物は、不動産と動産に分かれる。不動産とは「土地及びその定着物」をいい（86条1項）、それ以外の物は動産である（同条2項）。土地の定着物とは、土地に付着し、かつ、社会通念上土地に付着した状態のままで使用される物をいう。建物のほか、樹木や、土地に作りつけた機械が定着物（したがって不動産）の例である。なお、建物は、その敷地である土地から独立した別個の不動産とされる。

　主物と従物：民法87条は、2つの物が主物と従物という関係で結びつく場合について定めている。この関係は、ある物（主物）の経済的効用を高めるために、他の物（従物）を継続的に付属させた場合に生じる（民法87条1項）。例えば、建物にエアコンを設置するような場合には、前者が主物、後者が従物となる。

　そして、従物は、「主物の処分に従う」（同条2項）とされている。すなわち、建物の所有者Aが、Bとの契約でこの建物をBに売ったという場合には、建物

とともにエアコンの所有権もBに移転する。そのように、主物と従物をセット
で扱うのが、当事者の通常の意思と推測されるからである。もっともこのルー
ルが適用されるのは、主物と従物が同一人に帰属しており、かつ、主物だけを
処分するのか、主物と従物をセットにして処分するのか、当事者の意思が明ら
かでないときに限られる。すなわち、AとBは、「建物だけを売るのであって、
エアコンは売買の対象にならない」という内容で契約を結ぶこともできる（こ
の場合、エアコンの所有権がAからBに移らないことは当然である）。

　元物と果実（天然果実・法定果実）：さらに、民法は、果実についての定めを
置いている。ある物をもとにした収益として別の物が生み出されるときに、も
とになる物を「元物」と、生み出されるものを「果実」という。

　果実は、元物の用法に従って収取される物である天然果実（民法88条1項）
と、元物の使用の対価として収取される物（ほとんどの場合金銭）である法定
果実（同条2項）に分かれる。

　例えば、リンゴの木を育ててリンゴの実を収穫するときには、木が元物、実
が天然果実である（このほか乳牛から収取される牛乳や、鉱山から収取される鉱物
が天然果実の例である）。こうした天然果実は、元物から分離するとき（リンゴ
の実をリンゴの木からもぎ取るとき）に、果実を収取する権利を有する者（通常
ならリンゴの木の所有者がこれにあたる）が所有権を取得する（民法89条1項）。

　これに対して、法定果実の例としては、建物を人に貸して使用させる対価と
して収取する賃料や、金銭（これも「物」である）を人に貸して使用させる対
価として収取する利息があげられる。こうした法定果実は、「月額〇円」「年利
〇%」というように定められることも多いが、月あるいは年の途中で元物が返
還されたようなときには、日割計算によって金額が定められる（同条2項）。

第5章

代理

I　代理総説

1　代理とは

　これまで法律行為に関して説明をしてきた。そこでは主として、法律行為の効果が帰属する者（法律行為によって生じる権利を取得し、または義務を負担する者）が、自ら意思表示を行う場合が念頭におかれていた。言い替えると、そこでは、法律行為の効果が帰属する者と、その相手方となる者との二者の関係が問題となっていた。

　しかし、実際には、意思表示を自ら行う場合だけではなく、自分に代わって他人に意思表示をさせる場合がある。そのための制度が代理である。

　代理とは、ある人（「本人」という）のために、他人である代理人が、法律行為の相手方となる者に対して意思表示を行った（または相手方から意思表示を受けた）ときに、その法律行為の効果を、本人に直接生じさせる制度である。そこでは、本人・代理人・相手方の三者の関係が問題となる（→【図表5-1】）。例えば、Aが、自己の所有する土地を売却しようと考えているが、自分では買手を探すことができない（ノウハウも時間もない）という場合を考えてみよう。このとき、信頼できる業者Bに依頼して、買手を見つけてもらい（見つかった買手をCとしよう）、BとCの間で売買契約を締結してもらい、その売買契約から生じる権利義務はAとCの間に生じる（Aが売主としての権利義務を、Cが買主としての権利義務を取得する）ことにできれば便利である。代理はそれを

第5章　代理 ┃ **107**

実現する制度であるが、他方で、Bの意思表示によりAに権利義務を帰属させる点で、特殊な制度でもある。代理が成立するためには、通常の法律行為とは異なる要件が定められており、またその要件が整わなかった場合の当事者の保護についてもルールがある。この第5章では、そうしたルールについて順番に説明していくこととなる。

【図表5-1】代理

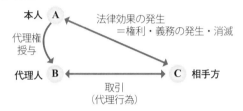

2　代理制度の必要性・社会的役割

　理論的にみると、民法は、私的自治の原則を基礎に据えているのだから、代理制度は、民法の基本原則に対して例外と位置づけられるべき制度だということになる。私的自治とは、自己の法律関係は自ら形成することができるという原則である（→215頁）が、これに対して代理は、他人の行為によって自己の法律関係に影響が及ぶことを認める制度だからである。

　しかし、現実の社会を見ると、代理制度なしには社会は成り立たないといってよいほどに、代理は活用されている。では、そこで必要とされている社会的な役割は、どのようなものなのだろうか。これについて今日では、個人（自然人）の活動の支援と、法人の活動の支援とに大きく分けた上で、前者をさらに2つに分けて、あわせて3つの役割を果たしていると説明されている。

(1)　個人の活動の支援①　私的自治の補充

　第一に、法律上、単独で自己の法律関係を形成することを制限されている人にとって、法律関係を形成するための手段を提供するという役割がある。第4章で説明したとおり、民法は、年齢が若い者や、病気によって判断能力が不十分となった者の行為能力を制限している。こうした者の法律関係は、保護機関

の同意を得て自ら行為をするという方法をとるか、自分に代わって他人に形成してもらうという方法をとる必要がある。代理制度は、後者のための手段として使われる。ここでは、自己の法律関係は自ら形成することができるという私的自治に制約を加えられている者にとって、それを補充するための制度として代理が機能している。

(2) 個人の活動の支援② 私的自治の拡張

人が自己の法律関係を自ら形成しようとする際の制限は、そうした法律上の制限だけではなく、知識や能力の不足、あるいは時間の制約といった事実上の制限も存在している。代理制度の役割の第二は、代理人に自己の代わりに法律行為を行わせることによって、そうした事実上の制限を克服して、自己の法律関係を形成する範囲を広げることができるというところにある。ここでは、私的自治を拡張するための制度として代理が機能している。

(3) 法人の活動の支援

株式会社などの法人（→第7章）は、人または財産の集まりをひとつの権利主体として認める制度である。権利主体として認めるからには、法律行為を行って権利を取得し、義務を負担することも法律上認められているが、法人自体が現実的に発言をしたり契約書に署名したりして意思表示を行うことができるわけではない。法人のために、法人に代わって法律行為をする人が必要である。代理制度は、法人が実際に活動を行うために不可欠な制度として、法人の活動を支援する役割を果たしているといえる。

3 代理の種類

代理は、上述したような果たしている社会的役割におおむね対応して（ただし厳密に一致するものではない）、3つに分類される。

(1) 法定代理

第一に、代理権の根拠が法律の規定にある場合を法定代理という。未成年者に対する親権者や、後見人（成年後見人・未成年後見人）が、その典型例である。

第5章 代理 **109**

親権者の場合には誰が代理人となるかが法律に規定されているが、後見人の場合には、代理人となる者は家庭裁判所が選任することになっている。代理権の範囲も、法律が定めている場合（親権者および後見人）もあれば、それに加えて家庭裁判所が判断する場合（保佐人や補助人に代理権を付与する場合）もある。

この法定代理は、判断能力が十分ではない者のために、代わりに法律関係を形成してくれる者を付すという制度であり、上述の「私的自治の補充」という役割を果たす制度であるといえる。

(2) 任意代理

第二に、本人が代理人を選任し、代理権の範囲も指定する場合を任意代理という。この場合には、本人は、自らの法律関係を形成することについて法的な制約は課されておらず、ただ知識や能力の不足あるいは時間の制約といった事実上の制限を克服するために、代理人を活用しようとしている。すなわち、「私的自治の拡張」という社会的役割に対応しているといえる。

(3) 法人の代理（代表）

伝統的には、代理はこの2つに分類されるものといわれてきたが、近年では、法人の代理を、任意代理・法定代理のいずれとも異なるものとして、第三の類型として説明することが多い。もちろんこれは、上述の「法人の活動の支援」という役割に対応している。

上述のとおり、法人自身は意思表示を行うことができないので、法人に代わって法律行為をする代理人が必要である。この場合の代理人がもつ権限は、法人の活動全般に及ぶ包括的なものであり、代理人の行為はまさに法人の行為そのものと見られることから、特に「代表権」と呼ばれる。例えば株式会社では取締役が株式会社を代表する権限をもつ（会社349条1項本文。ただし代表取締役をおいた場合には、その他の取締役は代理権をもたない。同項ただし書）。

法人の代理は、法定代理とも任意代理とも分類しがたい特徴をもっている。一方で、代理人（取締役）をおかなければならないとされていることや、その代理人の権限の内容が法律で定められている点では、法定代理に近いといえる。他方で、誰を取締役にするかは、株主総会の決議によって選任するものと

されている（会社329条1項）ので、この点では法定代理よりは任意代理に近いといえる。

任意代理と法定代理の違いの相対化

　伝統的には、任意代理と法定代理は異なる制度として、明確に区別されてきたが、近年ではその違いは相対的なものであるととらえられるようになっている。そのきっかけのひとつは、上述のとおり、法人の代理が任意代理・法定代理のいずれとも似ており、またいずれとも異なっていることが意識されるにいたったためであるが、もうひとつ、より重要な契機となったのは、平成11年の成年後見制度改革である（→成年後見制度については第4章Ⅳ3も参照）。

　一方で、法定後見制度の中でも、ノーマライゼーションの理念から、本人の意思をできる限り尊重することが図られており、単純に「法律の規定で代理人が選任される場合」とは言い切れなくなっている。例えば、家庭裁判所が保佐人・補助人に代理権を付与するためには、本人の請求または同意が必要とされている（876条の4第2項、876条の9第2項）のが、その典型的な現れだといえる。

　他方で、このとき新設された任意後見制度においては、誰を代理人（任意後見受任者）にし、どのような権限を与えるかということについて、本人の自由に委ねているものの、家庭裁判所の介入が認められている点では、法定代理としての性格が入り込んでいるといえる。例えば、任意後見が開始し、任意後見受任者が実際に代理権を取得するのは、家庭裁判所が任意後見監督人を選任したときとされている（任意後見2条1号）ことが、その例として挙げられる。

　もちろん現代においても、典型的な任意代理のケースと、典型的な法定代理のケースでは、同じ代理といっても性質が異なるものであり、両者を区別することは意味がある（したがって本書でも、両者を区別する伝統的な考え方に従った説明をする）。しかし、成年後見制度のように、その区別を相対的なものととらえ、柔軟に制度設計を行うこともまた重要であることは心に留めておいてほしい。

第5章　代理　　111

4 代理の外部関係・内部関係

　既に述べたとおり、代理においては本人・代理人・相手方の３者の関係が問題となる。例えば、本人Ａが自己の所有する土地を売却しようと代理人Ｂを選任し、Ｂが相手方Ｃとの間で契約を結ぶというのが、代理の典型的な例である。

　その中で、民法総則の「代理」の節（第１編第５章第３節）に定められているのは、「代理人Ｂの行為によって本人Ａと相手方Ｃとの間に法律関係（ここでは売買契約の成立）を生じさせることができるか」という問題である。この問題は、代理の「外部関係」に関する問題と呼ばれる。

　これに対して代理の「内部関係」というのは、本人Ａと代理人Ｂの間でどのような権利・義務関係が生じるかという問題である。例えばＢが代理行為を行う際に、相手方の選定にあたってどのような注意を払う必要があるのか（代金支払能力のない者を不注意で選定するようなことがあれば、ＢはＡに対して債務不履行に基づく損害賠償をする必要が出てくるかもしれない）という問題は、内部関係の問題となる。このほか、ＢはＣから受け取った代金をＡに引き渡す必要があるだろうし、ＡはＢに対して代理の実行にかかった費用や報酬を支払う必要が出てくるかもしれない。このように、ＡとＢの間には、「内部関係」として種々の権利・義務を定めておく必要がある。

　しかし、こうした「内部関係」については、「代理」の節には規定がない。任意代理の場合には、本人と代理人の間には契約（多くは委任契約）があるので、その規定（委任であれば643条〜656条）が適用される。法定代理の場合には、代理の根拠となる法規定（例えば親権者であれば818条〜837条）において、本人と代理人の内部関係が定められている。

Ⅱ　有権代理

　代理が成立するためには、代理権をもった代理人が代理行為を行うことが要件となる。このとき、代理行為が成立するためには、代理人が有効な法律行為を、顕名をして行うことが必要である。したがって、代理が成立するための要

件は、①代理人による有効な法律行為、②顕名、③代理権の３つであるということができる。以下では、この３つの要件を順番に説明する。

> **代理と使者**
>
> 　代理においては、代理人が法律行為（意思表示）を行うことが必要とされている。これに対して、代理と同じように、ある者が本人と相手方の間に入って取引の仲立ちをするケースでも、その者自身は意思表示をせず、本人のした意思表示をただ伝えるだけの役割しか果たさないというケースが考えられる。例えば、本人自身が手紙を書くことで契約を申し込む意思表示を行い、その手紙を単に相手方に届けるだけというケースである。この場合、取引の仲立ちのために間に入った者は「使者」と呼ぶ。代理の場合には、代理人は意思表示をする（前提として意思決定の自由をもつ）のに対して、使者の場合には、使者は本人のした意思表示を伝えるだけであって、使者自身は意思表示をしない（意思決定の自由をもたない）点で違いがある。このため、判例は、使者が本人の指示を無視して行為した場合について、表見代理（→Ⅳ）の規定を適用しなかった（大判昭和９・５・４民集13巻633頁。その上で、使者を通じてした本人の表示行為の内容が効果意思と異なることから、錯誤の問題になるとする）。
>
> 　もっとも、代理の場合においても、代理権の範囲を狭く絞れば（例えば「甲土地を、その所有者Ａから、1000万円で購入する代理権」というように）、代理人自身の意思決定の自由も狭まり、使者との違いは小さくなる。このことを強調すれば、使者と代理で大きく扱いを変えるべきではないと考えることもできる。学説には、使者が本人の指示を無視した場合に、表見代理の規定を適用するべきとする説もある。

1　代理人による有効な法律行為

　①として掲げた代理人による有効な法律行為という要件については、２つのことが問題となる。ひとつは、代理人がした法律行為の有効性に関連して、意思の不存在（心裡留保、通謀虚偽表示）や瑕疵ある意思表示（錯誤、詐欺、強迫）があるとき、あるいはある事項についての悪意などが問題となるときに、本人

第5章　代理　**113**

と代理人と、いずれについてそれを判断するべきかという問題である。この問題は、「代理行為の瑕疵」の問題と呼ばれている。

　もうひとつは、代理人の行為能力が制限されているときに、それを理由として、代理人のした法律行為の有効性を否定することができるか（代理人のした法律行為を取り消すことができるか）という問題である。これは「代理人の能力」と呼ばれる問題である。

(1) 代理行為の瑕疵（101条）

　代理行為の瑕疵について定める101条は、意思の不存在や瑕疵ある意思表示の有無、あるいはある事柄についての善意・悪意（さらに善意である場合の過失の有無）については、「代理人について決する」としている（１項および２項）。例えば、代理人が贈与契約の申込みの意思表示をする場合で考えると、代理人に錯誤がある場合には錯誤のルールが適用されるが、本人に錯誤があるというだけの場合には錯誤のルールが適用されないこととなる。実際に意思表示をするのは代理人であり、本人は意思表示に関与しないのであるから、このように定められている。

　しかし、このルールには例外がある。101条３項によれば、「特定の法律行為をすることを委託された代理人がその行為をしたとき」について、本人は、自らがある事情を知っていたのであれば（あるいはある事情を知らないことにつき過失があったのであれば）、代理人がその事情を知らなかった（あるいは知らないことにつき過失がなかった）ことを主張できなくなる。代理人に委ねられたことというのが、本人の行っている営業一般といった抽象的なものではなく、「特定の法律行為」（例えばＡからＡの所有する甲土地を購入すること）という限られたものである場合には、本人が何らかの事情を知ったときに、代理人に対して適切に指示を出すなどして自分の利益を守ることができるはずだからというのが、こうした例外が定められている理由である。

代理人が相手方に対して詐欺・強迫を行った場合
　101条は①代理人が相手方に対してした意思表示の効力が問題となる場合
（１項）と、②相手方が代理人に対してした意思表示の効力が問題となる場合

（2項）とで分けて規定を置き、①についてのみ意思の不存在と瑕疵ある意思表示についての規定を置いている。これによれば、代理人が相手方に対して詐欺や強迫を行い、それによって相手方が代理人に対して瑕疵ある意思表示をしたという場合は、101条（2項）の適用は問題とならないことになる。

こうした場合には、単純に、詐欺・強迫に関する96条が適用されることとなる。このとき、代理人は本人とは異なる「第三者」であるから96条2項が適用されるとする考えも成り立たないわけではない。しかし通説は、実際に意思表示をする代理人が詐欺・強迫を行った場合と、代理人を利用して相手方と法律関係を形成する本人が詐欺・強迫を行った場合とで区別をする必要がないとして、いずれの場合にも96条1項が適用されるとしている。

(2) 代理人の能力（102条）

代理人の行為能力が制限されているとき（例えば代理人が未成年者であるとき）に、代理人のした法律行為を取り消すことができるかという問題について、102条本文は「取り消すことができない」という原則を定めている。これは、本人が、あえて制限行為能力者を代理人として選ぶのであれば、それを禁じる必要はなく、代理人のした行為の効果を本人に帰属させればよいと考えられるからと説明されている。

もっとも、このような説明は、本人が選任するわけではない法定代理人にはあてはまらない。そこで、102条ただし書は、制限行為能力者が他の制限行為能力者の法定代理人としてした行為については、取り消すことができると定めている。例としては、未成年者Aの法定代理人である親権者Bが、後見開始審判などを受けて行為能力の制限を受けたという場合において、BがAのために代理行為を行ったというときが考えられる。

2 顕名（99条・100条）

(1) 顕名とは

代理においては、代理人が相手方に対して意思表示をし（この場合を能働代理という）、あるいは逆に相手方が代理人に対して意思表示をする（この場合を受働

第5章　代理　**115**

代理という）。しかし、その意思表示による効果は、意思表示の当事者ではない本人に帰属する。このため、代理にあたっては、「代理人ではなく本人に効果が帰属する」ということを明らかにする必要がある。このように、効果が本人に帰属することを示すことを「顕名」といい、民法ではこのことが「本人のためにすることを示して」意思表示をするとの表現で定められている（99条1項）。

　顕名は、行為の効果が帰属するのが代理人ではなく本人であることが読み取れれば、どのような方法・表現で行われてもかまわない。実際には、代理人が契約書に署名をする際に、「A 代理人 B」と署名し、本人 A のために代理人 B が行為していることを表示するということがよく行われる。

(2) 顕名が行われない場合の効果

　代理人が本人のためにすることを示さずに意思表示をした場合、この意思表示の効果は代理人に帰属するのが原則である（100条本文）。相手方から見れば、意思表示をした者に効果が帰属すると考えるのが普通であるから、この相手方の信頼を保護するためにこうした規定が設けられている。

　しかし、顕名が行われなくても、代理人が本人に効果を帰属させるつもりで意思表示をしていることについて相手方が何らかの事情で知っていたような場合、あるいは知ることができたはずだと言えるような場合には、相手方のこうした信頼を保護する必要はない。このため民法は、顕名がなかった場合でも、代理人が本人に効果を帰属させるつもりで行為していることについて、相手方が悪意であった場合、または、相手方が善意であることについて過失があった場合には、行為の効果は本人に帰属するものと定めている（100条ただし書）。

3　代理権の存在

(1) 代理権とは

　代理人が、いくら「本人のために」と顕名をして意思表示をしても、それが本人のまったく知らないところで勝手に行われたものだとしたら、その効果を本人に帰属させることはできない。代理人の意思表示の効果を本人に帰属させるのであれば、代理人があらかじめ、本人のために意思表示をすることができるという権限をもつことが要件となる。この権限を、代理権という。

(2) 代理権の発生原因・範囲

こうした代理権は、本人の意思によって代理人に与えられることも、本人の意思に関係なく法律の規定によって代理人に与えられることもある。前者の場合が任意代理、後者の場合が法定代理である。

任意代理では、代理権は本人の法律行為によって代理人に与えられる。多くの場合には、本人と代理人の間で委任契約を締結する。その中で、例えば、本人の所有する不動産について、適切な買主を探し出して、その者との間で売買契約を締結することを依頼するといったように、代理権の範囲を指定した上で、代理権が与えられる。

法定代理の場合、誰が代理人となり、どのような権限をもつかということは、法律の規定が定める。例えば、未成年者は、原則としてその父母が親権者として保護をすることが定められており（818条）、親権者は未成年者の代理人となることが定められている（824条本文）。その権限は、一定の例外（824条ただし書、826条）を除く、あらゆる事項に及ぶものとされている。

委任状と印鑑証明書

任意代理においては、代理人に代理権が与えられていることを証明するために、誰が代理人であり、どのような事項が委任されているかということを記した委任状（→【図表5-2】）という書類を本人が作成し、代理人に交付するのが通常である。

代理人は、代理行為を行う際に、この委任状を相手方に提示する。このとき、委任状を作成したのが本人自身であることを、相手方が確認できるようにする必要がある。そのために、委任状には本人の実印が押され、印鑑証明書（→【図表5-3】）が添付されるのが通常である。本人（ここでは「A」としよう。図表5-3では「民山法子」がこれに当たる）が、印鑑証明を受けたいと思った場合に、どのような手続きが進められるのかを見ていこう。

まず前提として、Aは、自分の居住する市町村の役場で印鑑登録をすることが必要である。大きさや、材質などについての一定の基準を満たした印章（→【図表5-4】）であれば、どのようなものでも印鑑登録することができる。ここで印鑑登録されている印章を「実印」という。市町村では、印鑑登録を申請しているのが間違いなくAであることを、身分証明書などを利用して確認をした

第5章 代理 **117**

【図表5-2】委任状のイメージ

委 任 状

住所：東京都池袋区西豊島三丁目３４番１号
氏名：立川　教子
生年月日：昭和３１年６月２１日

私は、上記の者を代理人と定め、下記の事項を委任致します。

記

私の所有する末尾物件の表示記載の不動産の売買契約に関する一切の権限

（土地）
　　所在　　東京都山手区関町三丁目
　　地番　　３番３５号
　　地目　　宅　地
　　地積　　105.00㎡

以上

令和４年９月５日

委任者
住所　東京都大塚区南豊島三丁目１２番４号
氏名　民山法子

上で、登録の申請のあった印影を記録しておく。こうして印鑑登録が完了する。
　その後Ａが印鑑証明書の発行を市町村に申請すれば、市町村では登録された印影の写しに、その印影がＡの登録したものであることを証明する文言を添えて、印鑑証明書を発行してくれる。精巧に掘られた印章は、同じ印影にな

るものが2つとないこと、そしてAが実印を大切に保管し、他の人に使わせないことを条件とすれば、委任状に実印が押されており、その印影がAの登録したものと同じであることによって、A自身がその委任状に捺印したことが証明されることになる。

【図表5-3】印鑑登録証明書のイメージ

印鑑登録証明書				
			登録番号	100-00000-1
印 影	氏 名	民山法子		
	生年月日	昭和29年 4月27日	性 別	女
	住 所	東京都大塚区南豊島三丁目12番4号		

この印影は、登録されている印影の写しに相違ないことを証明する。

令和4年 9月2日
　　　大塚区長　乙山花子

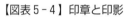

【図表5-4】印章と印影

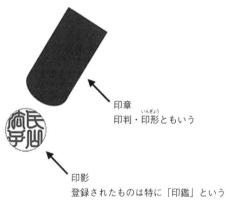

印章
印判・印形ともいう

印影
登録されたものは特に「印鑑」という

第5章　代理　119

⑶ 代理権の範囲が定められていない場合

　任意代理において、本人のした代理権を授与するという法律行為（契約）の内容からだけでは、代理権の範囲が明確にならない場合はどうしたらよいだろうか。そうした例として、長期の海外単身赴任をするＡが、同居する配偶者Ｂに、「留守中万事よろしく頼む」と言い置いたというケースが挙げられる。

　このような場合に働く補充規定が103条である。同条の定めによれば、代理人の権限の定めがない場合（または不明確な場合）には、その代理人は、財産の現状を維持するための行為（「保存行為」）、および代理行為の対象となっている財産の性質を変えない範囲での利用や改良（「利用行為」「改良行為」）を行うことができる。この保存行為、利用行為、改良行為を合わせて「管理行為」という。これに対して、代理行為の対象となっている財産の性質を変えてしまうような行為は、代理人の代理権の範囲から外れることとなる。

　例えば、本人の所有する家に関して言えば、修繕などの保存行為、賃貸に出すなどの利用行為、あるいは造作と呼ばれる建具や内装を取り付けるなどの改良行為は、代理権の範囲に含まれる。これに対して、大規模な増築や改築は、財産の性質を変えてしまう行為であり、代理権の範囲に含まれない。

⑷ 代理権の制限

　任意代理において、本人が定めた代理権の範囲内であれば、代理人が常に有効な代理行為を行えるかといえばそうではない。代理人の行為が、本人と代理人の利益相反に当たる状態で行われるときには、たとえ代理権の範囲であったとしても、代理人は代理権をもたずにその行為をしたとみなされる（108条）。

　利益相反行為とは、本人と代理人の利益が相反する内容の行為をいう。利益相反行為の典型的な例は、自己契約および双方代理と呼ばれる行為である（1項本文）。自己契約とは、例えば売主Ａの代理人を務めるＢが、自分自身を買主として売買契約を締結するように、自分自身と、相手方の代理人としての自分との間で契約を締結することをいう。双方代理とは、契約の両当事者の代理人として契約を締結することであり、売主Ａの代理人Ｂが、買主Ｃの代理人をも務めて、契約を締結することをいう。ここではいずれも、売主Ａの代理人として、Ａの利益（できるだけ高い値段で売ること）を目指すべき立場にある

はずのBが、Aとは逆の利益（できるだけ安い値段で買うこと）を目指す買主の地位にもついている。これでは、代理人は売主である本人の利益を無視して、一方的に自分（またはC）にとって有利な値段で売買契約を締結する危険がある。このように、本人の利益を犠牲にして代理人が自分または相手方の利益を追求する危険が高いために、自己契約や双方代理（をはじめとする利益相反行為）については、代理権がないものとして扱われることとされている。

108条は法定代理にも適用される。ただし、多くの類型（親権者、後見人、保佐人、補助人）で、代理人と本人の利益が相反する場合には、家庭裁判所に対して特別代理人または臨時保佐人もしくは臨時補助人の選任を申し立てなければならないとの規定が設けられている（826条、860条、876条の2第3項、876条の7第3項）。

4　復代理

(1)　復代理・復任とは

代理人は、原則として、自分自身で代理行為を行うことが必要である（このような代理人の義務を自己執行義務という）。ただし、一定の場合には、本人のために別の代理人を選任し、この者に代理行為を行わせることができる。このとき、代理人によって選任される別の代理人のことを復代理人といい、復代理人を選任することを復任という。復代理人を選任したもともとの代理人は本代理人という。そして、復代理人が本人を代理することは復代理と呼ばれる（→【図表5-5】）。

【図表5-5】復代理

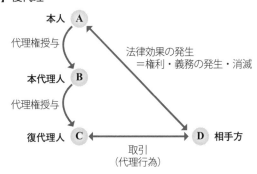

以下では、まず、どのような場合に復任をすることができるのかについて説明する。続いて、復任が行われた場合に、復代理人がどのような法的地位を得るのかを説明する。最後に、復代理人の行為によって本人に損害が生じた場合に本代理人がどのような責任を負うかを説明する。

(2)　復任が許される場合

　復任とは、本人から見れば、自ら選任したわけではない者が代理人として選任されることを意味する。任意代理の場合にはこれを無制限に認めるわけにはいかないが、法定代理の場合には特に制限される必要がない。順に見ていこう。

(a)　任意代理における復任

　任意代理においては、代理権は本人自らが選任をした代理人に与えられている。ここで代理人が復任を自由にできるとすれば、本人は、自分が信頼できると判断した代理人とは異なる者を代理人として押し付けられることとなってしまい、不適切である。

　このため、任意代理においては、復任は制限されている。すなわち「本人の許諾を得たとき、又はやむを得ない事由があるとき」(104条)にしか復任は許されない。これ以外のときに本代理人が復代理人を選任し、その復代理人が本人のために代理を行ったとしても、この復代理人は本人を代理する代理権をもっていないのであるから、無権代理行為となる。

(b)　法定代理における復任

　これに対して法定代理の場合、法定代理人は、自由に復任を行うことができる(105条前段)。ただし、法定代理人は「自己の責任で」、すなわち復代理人の行為すべてについて責任を負うものとされている(復任が行われた場合の代理人の責任について詳しくは後述(4))。

　法定代理において復任が自由とされているのにはいくつか理由がある。第一に、法定代理では、誰を代理人にするかを本人が決めているわけではないから、法定代理人が復代理人を選任しても、本人の信頼が害されるわけではない。第二に、法定代理では、親権者や後見人に典型的に見られるように、非常に幅広い範囲の代理権をもつとされていることも多く、しかも辞任が制限され

ている（親権者について837条1項、後見人について844条）。このため、常に、すべての行為を法定代理人自身で行わせるのは、法定代理人にとって大きな負担となる可能性がある。第三に、法定代理の場合、本人に十分な判断能力がないのであるから、復任を行うことについて本人の許諾を得ることもできない。こうした理由から、法定代理の場合には、復任は制限されていない。

(3) 復代理の効果

(a) 復代理における外部関係

有効な復任が行われた場合、復代理人は「本人の代理人」として行為するものとされている（106条1項）。復代理人は本代理人によって選任されるのであるが、その地位は「本代理人の代理人」ではない点に特徴がある（「本人の代理人」になるからこそ、任意代理においては復任の制限がされているのである）。

すなわち、顕名においては本人の名を示すものとされ、代理行為の効果も本人と相手方の間で直接に生じる。

(b) 内部関係①本代理人と復代理人の間の法律関係

では、復代理が行われた場合の内部関係はどうなるだろうか。復代理の内部関係を考える際には、「本代理人と復代理人の関係」と、「本人と復代理人の関係」に分けることが必要である。このうち前者から見ていこう。

本代理人と復代理人の間には、選任を基礎付けるような契約が存在している。ほとんどの場合、その契約は委任契約であり、このため、本代理人と復代理人の間の権利・義務関係については、委任契約に関する規定（643条〜656条）が適用されるといってよい。復代理人は、代理行為の実行に際して善管注意義務（644条）を負うし、相手方から受け取った物があればこれを本代理人に引き渡す義務を負う（646条）。他方で復代理人は、本代理人に対して報酬の支払（648条）や費用の前払・償還（649条・650条）を求める権利をもつ。

(c) 内部関係②本人と復代理人の間の法律関係

これに対して本人と復代理人の間には、そうした契約関係は存在していない。このことからすれば、本人と復代理人の間に、直接の法律関係は生じないと考えることもできそうである。

しかし、復代理人は外部関係においては「本人の代理人」として行為してい

る。それにもかかわらず、例えば相手方から受け取った物を本人に渡す必要が
ないとか、本人から代理行為にかかった費用を償還してもらうことができない
とするのも不便である。そこで民法は、復代理人は本人に対して、本代理人と
同一の権利を有し、義務を負うものと定めている（106条 2 項）。

なお、例えば復代理人が相手方から代金を受け取ると、本人と本代理人の両
方に対して、受取物引渡義務を負うこととなる。このときには、一方を履行す
れば、他方に対する義務が消滅するものと解されている（最判昭和51・4・9民
集30巻 3 号208頁を参照）。

(4) 復代理人の行為についての本人に対する責任

(a) 復代理人の責任

復代理をめぐる内部関係についてはもうひとつ、復代理人のした行為につい
ての本人に対する責任が問題となる。

例えば復代理人が、代理行為を行うに際して十分に注意義務を果たさなかっ
たために、代金支払能力のない買主を相手方とした契約をすることとなり、売
主となった本人が損害を被ったとか、復代理人が相手方から受け取った代金を
紛失したために本人が損害を被ったとかいった場合が考えられる。

前述のとおり、復代理人は、本人との間で、本代理人と同一の権利を有し、
義務を負うこととなっている。このため、代理行為を行うにあたって必要とな
る注意義務を復代理人が果たさなかったときには、本人に対して損害賠償責任
を負う。

(b) 本代理人の責任

では、復代理人を選任した本代理人はどのような責任を負うことになるか。

本代理人は、本人に損害が生じたのは復代理人の行為によるものであって、
自己の行為が原因ではないからとして責任を免れるかといえば、そうではな
い。本代理人も、自己の任務として、代理行為が適切に行われることを引き受
けたのであるから、復代理人の行為についても責任を負わなければならない
（具体的には、債務不履行に関する415条・416条に従って、損害を賠償する義務の有無
や、賠償するべき金額が確定する）。

ただし、法定代理の場合において、「やむを得ない事由」があったために復

任が行われたというときには、本代理人が負う責任は軽減され、復代理人の選任および監督についてのみ責任を負えばよいとされている（105条後段）。

III　無権代理

1　無権代理とは

(1)　無権代理となる場合

　無権代理とは、代理権がないにもかかわらず、代理行為が行われることをいう。代理権がない場合というのは、まったく代理権をもたない者が代理行為をする場合のほか、代理人が自己のもつ代理権の範囲を超えた代理行為をする場合を含む。どちらの場合においても、無権代理行為を行った者は無権代理人と呼ばれる。

　例えばAが所有する土地について、Bが代理権を与えられていないにもかかわらずAの代理人であると称して、Cを相手方としてこの財産を売却するという契約を結んでしまうのが無権代理の典型例である。あるいは、Aが所有する土地について、抵当権を設定するための代理権を与えられた代理人Bが、Cを相手方としてこの土地を売却してしまうような場合も無権代理となる。

　代理権濫用と無権代理

　Aが所有する土地について、これを売却する権限がBに与えられていたという場合において、しかしBが売却代金を横領してしまう（つまり受け取った代金をAに渡さず、自分のものにしてしまう）つもりでCに売却をしたという場合を考えてみよう。

　この場合、Bの行為は、たしかに、土地の売却という与えられた代理権の範囲内の行為ではある。したがって原則として、有効な代理行為として扱うべきである。

　しかしその代理権は、Aの利益ではなくBの利益のために行使されており、その代理権が与えられた趣旨を逸脱している（こうした場合を代理権が「濫用」

第5章　代理　**125**

されているという）。そして、相手方となった C もこうした B の意図を知っていた場合（あるいは知ることができた場合）には、C の利益に配慮する必要はなく、A の利益を保護するために、この代理行為を無効にするのが公平にかなっている。そこで民法は、「代理人が自己又は第三者の利益を図る目的で代理権の範囲内の行為をした場合」であって、かつ、「相手方がその目的を知り、又は知ることができたとき」には、（客観的には有権代理であるにもかかわらず）無権代理と同様に扱うものと定めている（107条）。

(2) 無権代理行為の効果

無権代理においては、無権代理人に代理権がない以上、その行為の効果（権利・義務関係の発生や消滅）が本人に生じることはないというのが原則となる。このことを「無効」と表現するが、ここでいう「無効」は、心裡留保や虚偽表示のように効果がまったく生じないという意味ではなく、その効果が本人に帰属しないという意味である。

さらにこのとき、無権代理行為の効果を無権代理人に帰属させることも、原則としてできない。なぜなら、無権代理人は、本人に効果が帰属することを示して（すなわち顕名して）行為をしている。このため、無権代理人自身に効果を引き受ける意思がないのみならず、相手方としても、無権代理人を取引相手とする意思がないこととなるからである。

このため、無権代理行為は、誰にも効果が帰属しない、いわば宙ぶらりんの状態となってしまう。

(3) 本人による無権代理行為の追認

(a) 追認の効果

民法には、この「宙ぶらりん」の状態を、当事者の一方的な意思表示によって確定させるための方法が定められている。すなわち本人による追認と、相手方の取消権である。まず前者から説明しよう

無権代理行為は、本人が、これを有効なものとする意思を表示すれば、有効な代理行為が行われたものとして確定する（113条1項）。この本人の意思表示

は「追認」という。追認は、本人だけの意思表示で成立する単独行為である。

　無権代理人が代理行為をした時点では代理権を有していなかったとしても、本人が後から、その行為の効力を自分のために生じさせる意思を表示したのであれば、いわば事後的に代理権を与えたものと考えることができる。そしてそのように解したとして、相手方の利益を害することもない。このため、本人の一方的な意思表示だけで、代理行為が有効なものとして確定することとされているのである。

　本人が追認をすると、無権代理行為は、最初から有効な代理権をもって行われていたものとみなされるのが原則である。すなわち追認は、無権代理行為の時に遡って効力を生じる（これを追認の遡及効という）。ただし、本人は、追認をする際に、追認の効力を遡及させない（追認をした時点から将来に向かって効力を生じさせる）旨の意思表示をすることもできる（116条本文）。

(b) 相手方による催告権

　もっとも以上のようなルールによれば、本人が追認をしないでいる間、相手方は、本人が追認した場合に備えて契約の履行を準備するべきなのか、それとも無権代理行為であるから契約を履行する必要がなくなるのかが不明であるという不安定な状態に置かれることになる。そこで相手方には、本人に対して追認するかどうかを答えるように催告をする権利が認められている（114条前段）。

　例えば「〇月〇日にＢが貴殿の代理人として行った売買契約について、これを追認するか否かを、本書面到達の日から１週間以内にご回答ください」といった文章を送ることが、その一例である。

　ここで本人が追認をするとの回答をすれば追認の効果が発生し、逆に追認をしない（追認拒絶）との回答をすれば追認の効果が発生しないことは当然である。では、本人が回答をしなかった場合にはどうなるか。民法は、相手方が本人のために定めた回答のための期間が「相当の期間」であることを要件として、本人の回答がなければ、追認が拒絶されたものとみなすこととしている（114条後段）。無権代理行為は、原則として無効となるべきものであり、それが有効となるのは本人が追認の意思を表示したときだけである。このため、本人からの回答がない場合には、追認拒絶が擬制され、無権代理行為は無効なものとして確定させることにしたのである。

> 「相当の期間」
>
> 　民法においては「相当の期間を定めて催告することができる」というルールが数多く見られる。この「相当」とはどのくらいの期間をさすのか、特に民法を学び始めたばかりの学生にはわかりにくいようである。
>
> 　「相当」の期間でないといけないとされている理由は、催告を受けた者が回答をするのに必要な時間を確保するためである。回答するために必要な検討期間も与えずに一定の効果を押し付けるのでは、不当だということになってしまうだろう。
>
> 　そうした必要な検討期間について、例えば「3日」「1か月」などと固定した期間で定めることができないのは、回答をするために必要な時間がケース・バイ・ケースで異なりうるからである。比較的少額の物品1つを売却するというだけの契約であれば短期間で判断できるだろうが、高額の不動産を購入するという契約であれば資金調達の可否などを検討するためにより長い時間がかかるかもしれない。そのように、事件ごとに事情を総合的に考慮して、「相当」の期間といえるか否かを判断するのである。

(4)　相手方の取消権

　また相手方は、こうした催告を行うことなく、無権代理行為に基づく契約を取り消すこともできる（115条本文）。契約によって入手しようとした物が、他の取引相手からも入手可能な物であるような場合には、効力がどうなるか不安定な無権代理行為に基づく契約は効力を失わせてしまって、他の取引相手と新たに契約を締結した方が都合がよいということもあるだろう。

　もっとも相手方の取消権には2つの制約がある。

　第一に、本人が追認をした後には、相手方は契約を取り消すことができない。本人が追認をし、無権代理行為が有効なものとして確定をするのであれば、相手方は当初望んでいたとおりの契約を締結したのと同じ状態になる。そうであれば、相手方に取消権を与える必要はなくなるからである。

　第二に、無権代理行為が行われた時に、相手方が無権代理人に代理権がないことを知っていた場合である（115条ただし書）。この場合には、相手方は無権

128

代理行為であることを知りつつあえて契約関係に入っているのだから、やはり取消権を与える必要がないと考えられるからである。

(5) 無権代理に対する相手方の救済

このように、無権代理においては、本人が追認をすれば契約は有効であると確定するし、相手方は契約を取り消すことによって不安定な立場から逃れることもできる。しかし、本人が追認を拒絶する一方で、相手方があくまでも契約で予定していた利益を手に入れたいと望むときにはどうしたらよいだろうか。民法は無権代理人の責任（117条）についての規定を置くとともに、一定の場合には、本人自身が無権代理行為によって締結された契約に基づく責任を負うものとした（これを表見代理という。109条、110条、112条）。以下で順に説明をする。

2　無権代理人の責任

無権代理という事態が生じたのは、無権代理人が代理権をもたないにもかかわらず相手方との間で契約を結んだからである。このため、無権代理人は相手方に対して責任を負う。これは117条に定められている。

(1) 無権代理人の責任の内容

無権代理人の責任は、117条によれば、「履行又は損害賠償」と定められている。無権代理人がいずれの責任を負うかは、相手方が選択できる。

(a) 履行請求

相手方が履行を請求したときには、無権代理人は、自らが契約当事者になったのと同じ責任を負う。例えば、本人Aのためと称して、無権代理人Bが、相手方CからCの所有する土地を3000万円で購入するという契約を結んだという場合において、Cが履行を請求したときには、B自身が買主としてCに対して3000万円の代金支払債務を負うこととなる。もちろんこの場合に、Bは、買主として土地の所有権を取得し、またCに対して登記名義の移転や土地の明渡しを請求することができる。

もっともこうした履行請求は、この例とは逆に、本人Aが所有する土地を相手方Cが購入するという契約が結ばれていたような場合には、うまく機能

第5章　代理　**129**

しない。この場合、CがBに対していくら契約上の債務の履行（登記の移転や土地の引渡し）を求めても、Bがそれをすることは不可能である。このような場合には、履行請求はうまく機能せず、次の損害賠償によって相手方Cの救済を図ることになる。

(b) 損害賠償

相手方は、履行請求がうまくいかないときに、あるいは履行請求をせずに最初から、無権代理人に対して損害賠償を請求することができる。このときの損害賠償の内容は、いわゆる履行利益であるとされている。

履行利益というのは、「契約が有効であり、それが完全に履行されたならば債権者が得たであろう利益」をいう。例えば、Aの代理人だと称する無権代理人Bが、Aの所有する財産を相手方Cに売却するという契約を結んだ場合において、Cはこの土地をDに転売するつもりでいたとしよう。このとき、この契約が完全に履行されていたとすれば、Cは土地をDに転売することで、転売額と購入額の差額を転売利益として取得できたはずである。したがってCがBに対して請求できる額には、この転売利益が含まれることとなる。

(2) 無権代理人の責任の要件

以上のような無権代理人の責任が生じるためには、代理行為が行われたにもかかわらず、その代理行為を行った者が代理権をもっていなかったことが要件となる。

代理行為が行われたというためには、顕名が行われていることが必要である。前述の例ではいずれも、Bは自分自身が当事者になるのではなく、Aを本人とする契約である旨を顕名している。顕名がなければ、仮にAの所有物を売却するという契約であったとしても、B自身が契約当事者として、債務を負うこととなる（民法は、他人の所有物を売却するという契約も有効であるとしている。561条を参照）。

もちろん代理行為を行った者が代理権をもっていれば、無権代理には当たらないから、無権代理人の責任も生じない。さらに、無権代理であった場合でも、後から本人が追認をした場合には、やはり有効な代理権があったのと同じものとして扱われるから、無権代理人の責任が生じないこととなる。また、相

手方が契約を取り消したとき（115条）にも、そもそも契約がなかったことになるのだから、やはり無権代理人の責任は生じない。

(3) 無権代理人が責任を負わない場合

117条2項には、以上のような要件が満たされても、例外的に無権代理人が責任を負わない場合が定められている。

第一は、相手方が、無権代理人に代理権がないことを知っていた場合（すなわち相手方が悪意の場合）である（同項1号）。この場合、相手方はそのような契約を結ばずにおくこともできたのであるから、特に救済を与える必要がないと考えられるからである。

第二は、相手方が、無権代理人に代理権がないことを知らずにはいたが、そのことについて過失があった場合である（同項2号本文）。ただし、前述の相手方が悪意の場合とは異なり、この場合には、無権代理人の側が悪意（自分に代理権がないことを知っていた）であれば、相手方はなお無権代理人の責任を追及できる（同号ただし書。逆に言えば、相手方が悪意のときには、無権代理人が自分に代理権がないことを知っていようといまいと、その責任を追及することができなくなるということである）。無権代理人は、自分に代理権がないことを知らなくても責任を負うのが原則であるが、しかし相手方に過失があるのであれば、無権代理人にそのような責任を負わせるのは両当事者の利益のバランスを失すると考えられること（無権代理人が、自分に代理権のないことを知っていれば、こうした衡量が成り立たないこと）が、こうした細かな規定の根拠になっている。

第三は、無権代理人が、代理行為をした当時、行為能力の制限を受けていた場合（例えば未成年者であった場合）である。制限行為能力者に重い責任を負わせることは適切ではないという判断が根拠となっている。

3 無権代理と相続

(1) 無権代理と相続が問題となる場合

ここまで無権代理について説明をしてきたが、こうした無権代理が、赤の他人の間で行われることは、実際には稀だといわれる。事例が多いのは、親の財産を子が勝手に処分するといったように、家族の間で無権代理行為が行われる

場合である（その他では、会社の役員や従業員が、与えられた権限を超えた行為をするというケースが典型例である）。

家族間でこうした無権代理が行われると、本人か無権代理人のいずれか一方（あるいは双方）が死亡し、相続が起きることによって、一人の人間が、本人の地位と無権代理人の地位の両方をもつにいたることがある。こうした場合には、「本人」は「無権代理人」の行為を追認することを拒絶できるのか、あるいは「無権代理人」の責任を負うのかということが問題となる。以下では、まず、本人が死亡し、無権代理人がその地位を相続した場合（単独で相続した場合と、他の相続人とともに共同相続した場合に分けて考える）を説明し、それに続いて無権代理人が死亡し、本人がその地位を相続した場合を説明する。

いずれの場合についても、本人Ａの所有する甲土地を、その子Ｂが、実際には代理権がないのにＡの代理人と称して相手方Ｃに売却し、代金を受け取ったというケースを前提にして考えることにしよう。

【図表 5-6】無権代理と相続

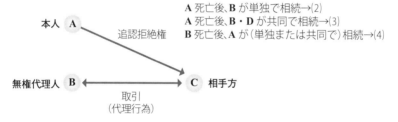

(2) 無権代理人が本人を単独で相続した場合

Ｂによる無権代理行為が行われた後、Ａが（追認も追認拒絶もしないうちに）死亡し、Ａの相続人がＢ一人だけだった場合を最初に考えてみよう。ここで問題となるのは、Ａが追認拒絶をすることのできる地位をもっていたところ、Ｂは、Ａのこの地位を相続したとして、自ら行った無権代理行為の追認を拒絶することができるかという点にある。

通説は、この場合、無権代理人Ｂは追認を拒絶することができないとしている。その理由は次のように説明される。たしかに、無権代理人Ｂは、本人Ａの地位を相続し、追認するか追認を拒絶するかを決めることのできる地位

にある。しかし、自分でした行為の効果を自分に帰属させることを拒絶するという意思表示をするというのは、矛盾する振る舞いであり、信義則に反する。このため、Bは追認を拒絶することができないと説明される。

資格併存説と資格融合説

　本文で説明をした通説のような考え方は、Bという一人の人間のもとで、あたかも無権代理人Bと本人Aの2人の人間が併存しているかのように考えたうえで、Aとしての資格を主張することが許されないとするものであり、資格併存説と呼ばれる立場を前提としている（「資格」とは、「権利主体となる資格」あるいは「ある人がもっている権利や義務その他の地位すべて」というような意味である）。

　これに対して判例は、本文で説明したような無権代理人が本人を単独で相続した場合について、追認拒絶ができないという結論こそ同じであるものの、異なる説明の仕方でその結論を説明している。すなわち判例は、BがAを相続することによって、Bという人間のもとで、無権代理人Bと本人Aの地位は融合し、新たなひとつの地位が生じたと考える（大判昭和2・3・22民集6巻106頁、最判昭和40・6・18民集19巻4号986頁）。したがって、Aの土地をBが売ったというように資格を分けて考えることができず、「自分の土地を自分で売った」と理解するべきだということになる（だから追認拒絶はできないという結論になる）。この立場は、資格融合説と呼ばれる。

　もっとも資格融合説は、この後で説明をするような無権代理人が本人を他の相続人とともに共同相続した場合や、本人が無権代理人を相続した場合に、妥当な結論を導くことができない。判例自身も、こうしたケースでは、資格併存説に立った説明をしている。

---

(3)　無権代理人が本人を他の相続人と共同で相続した場合

　では、無権代理人Bが本人Aを相続したが、その際、無権代理人以外の相続人（例えばAの配偶者であるD）とともに共同相続したという場合は、どうだろうか。

　通説、そしてこのような事案では判例も、BはAの地位をDとともに共同

で相続しており、したがって、追認するか追認を拒絶するかを決めるというAの地位をもっているという考え方を前提とする。その上で、この追認するか追認を拒絶するかを決める権利は、分割することができない（例えば、Bは追認するがDは追認しないということができない）とし、共同相続人の全員一致で追認をするのでない限り、追認の効力を生じないとする。すなわち共同相続人の一人でも追認を拒絶したら、追認は拒絶されたものとして扱う（最判平成5・1・21民集47巻1号265頁）。

　もっとも、他の共同相続人の全員（この例ではD）が追認の意思を表示しているのであれば、その場合に無権代理人だけが追認を拒絶するのは信義則に反するので、無権代理人は追認を拒絶することができなくなると解される。

追認不可分説と追認可分説

　本文で説明したような、追認するか否かを決める権利は分割することができないという立場を、追認不可分説という。

　これに対して追認可分説という立場もある。Bが追認し、Dが追認を拒絶するなら、契約は半分だけ追認されたことにする（これによって、甲の持分2分の1をCは取得する）と考えるものである。もっともこの説に対しては、相手方Cの立場から見ると、見知らぬ者（ここではD）と土地を共有することを強いられることとなる点について批判がある。

---

(4)　本人が無権代理人を相続した場合

　ここまでとは逆に、無権代理の後に無権代理人Bが死亡し、本人Aがこれを相続した場合にはどうなるか。

　この場合に、Aが、本人の地位に基づいて、Bのした無権代理行為の追認を拒絶できるとすることに問題はないだろう。無権代理人が本人を相続した場合とは異なって、本人は、自ら行った行為の効力を否定するわけではないから、矛盾行為だと評価されることもなく、したがって信義則に反すると評価されることもない。

　無権代理人Bが117条に基づいて負う責任を本人が相続するかという点はど

うだろうか。もっとも、117条の責任のうちでも、損害賠償責任については、Aが（Aのほかに相続人がいればそれらの者と共同して）相続をするということで問題はない。

　問題となるのは、Aは、117条の責任のうちの履行責任を相続し、Cからの請求があれば、Bが無権代理行為によって締結した契約の履行をしなければならないのかという点である。これについて判例はなく、学説も分かれているが、有力とみられる見解は、Aは、履行責任を負わないという解釈をとっている。その理由は、Aは追認を拒絶することで、甲の引渡しや登記名義の移転をする義務を免れるはずであるのだから、ここで117条に基づいて履行責任を負わせ、やはり甲の引渡しや登記名義の移転をする義務を負わせるのだとすると、Aが追認を拒絶できるとした意味がなくなってしまうからと説明されている。

Ⅳ　表見代理

1　表見代理とは

(1)　表見代理制度の必要性

　以上に説明してきたような責任を無権代理人に負わせるだけでは、相手方にとっては、十分な保護にならないことがあり得る。第一に、前述したとおり、契約の内容によっては無権代理人自身が履行することができない場合がある。また第二に、本人が契約当事者になると思っていた相手方からすれば、無権代理人に対して履行ないし損害賠償を請求するというのは、意外な相手を押し付けられることとなる（本人に比べて資力がない者が代理人となっていた場合には、相手方にとって重大な問題となる）。

　そして、もしも無権代理における相手方の保護が、このような意味で不十分なものにとどまるとすると、代理というのは非常に危険な取引方法だということになり、当事者は代理制度を使うことを躊躇してしまうだろう。しかし、代理は、冒頭でも指摘したとおり、私的自治の補充または拡張のために必要な制度であり、代理制度を用いて行われた取引の有効性を保護することによっ

て、社会の中で使いやすい制度にしておくことが必要である。

　このように、相手方を保護するため、そしてひいては、社会における取引の安全を保護するために、民法は、一定の場合に、無権代理行為を代理権のある行為と同様に扱い、本人に対して効力を生じさせるものとしている。この制度を表見代理という。

(2)　表見代理における本人と相手方の利益の調整

　もちろん、単に「相手方を保護する必要がある」「取引の安全を図る必要がある」というだけで、表見代理の成立を認めようとするならば、今度は、本人の利益を一方的に害することになりかねず、やはり代理制度が使われなくなってしまうだろう。表見代理の成立を認めるための要件を考えるにあたっては、相手方の利益と本人の利益を適切に調整する必要がある。

　そこで民法は、①無権代理行為について本人の一定の関与が認められる場合で、かつ、②相手方が無権代理人を本当の代理人であると正当に信頼した場合に限って、表見代理が成立するものとし、そうした場合として、109条、110条、112条の3つの類型を定めている。以下ではこれらを順に説明していくこととする。

2　代理権授与の表示による表見代理 (109条)

(1)　概要

　表見代理の第一は、109条が定める代理権授与の表示（「代理権授与表示」ともいう）による表見代理である。「代理権授与表示」とは、本人が無権代理人に代理権を与えていないにもかかわらず、その者に代理権を与えた旨の表示を相手方に対してすることをいう。

　例えば本人Aが、相手方Cに対して、「融資をお願いしたい。この件については、Bに任せることにしている」と告げたようなケースが、代理権授与表示の典型的な例である。このAの発言は、Bに対する意思表示ではないから、Bに代理権を与えたことにはならない。したがって、Aのこうした発言を聞き及んだBが、Cとの間で代理行為を行ったとすると、それは無権代理となる。

　しかしこのケースにおいてCは、ほかならぬA自身がBに代理権を与えた

旨をＣに対して告げたことを信じて取引に応じているのだから、保護されるべきである。このため民法は、こうした代理権授与表示があった場合には、表見代理が成立し、本人に効力が及ぶものとしている（109条1項本文）。

ただし、相手方Ｃが、実際にはＢに代理権が与えられていないことについて知っていた場合、あるいは知らなかったがそのことについて過失があった場合には、表見代理は成立しない（同項ただし書）。こうした場合には、Ｃには正当な信頼があるとは言えず、保護をする必要がないからである。

「黙認」による代理権授与表示

代理権授与表示は、本文のように、代理権を与えた旨を相手方に対して積極的に伝える場合だけではない。代理権が与えられているかのような外観が存在することを、本人が黙認し続けることで、代理権授与表示に当たるとされることがある。例えばＡ社において、Ｂが実際には取締役に就任しているわけではないのに、職場の机の上には「専務」（会社では通常、取締役として代理権をもつ役職である）と表示した板が吊るされており、会社内外で「専務」と呼ばれるなどしていたにもかかわらず、これが放置されていたという場合には、事情を総合的に考慮して、代理権を与えたかのような外観が存在することを黙認する形で代理権授与表示があったと認定される可能性がある（実際の裁判例では、さらにさまざまな事情が考慮されている。詳しくは東京高判昭和40・5・7金法414号13頁を参照）。

---

(2)　白紙委任状

(a)　白紙委任状とは

109条の適用が問題となる実務上の例として、白紙委任状が交付され、それが濫用されたという場合がある。

白紙委任状とは、本人が代理人に交付する委任状（→118頁【図表5-2】）において、代理人の氏名を書く欄（代理人欄）や、代理人の権限の内容を書く欄（委任事項欄）など、一部を記載しないままの空欄にしてあるものをいう。

本人が代理人に対してこのような白紙委任状を交付する理由はいくつかある。例えば、代理人欄を空欄とする例としては、代理人自身が相手方との間で

第5章　代理　**137**

代理行為をするのか、それとも復代理人を選任して、復代理人が相手方との間で代理行為をするのかが未定であるケースを典型例として挙げることができる。また、委任事項欄を空欄にする例としては、代理人と相手方の間の交渉が進んでからでないと、代理人を通じて締結される契約の内容が具体化しないようなケースが典型例である。いずれにしろ、誰が代理人となるのか、どのような契約が締結されるのかが確定すれば、通常は代理人が空欄を補充して委任状を完成させることが予定されている。

　白紙委任状をめぐっては、本人が意図していたとおりに空欄が補充されず、それに基づいて、本人が意図していない代理行為が行われることがある。これが白紙委任状の濫用である。白紙委任状が濫用された場合については、誰が濫用したのか（白紙委任状の交付を受けた者自身か、それともそれ以外の者か、さらにこれらの者は代理権を実際に与えられていたのか否か）、委任事項は本人の予定どおりに補充されたのか否かといった観点から、細かく分類し、それぞれの分類ごとに、適用される条文を検討し、本人と相手方の間の関係を考察する必要がある。しかしそれをすることは説明が非常に複雑になるため、ここでは、109条が適用される典型的な事案を1つだけ取り上げるにとどめておこう。

(b)　白紙委任状と109条

　次のような事案を考えてみよう。本人Aは、相手方Cから1000万円を借り受け、これを担保するためにAの所有する甲土地に抵当権を設定することとした。Aはこの手続をBに代理させることとし、Bに対して、代理人欄が空欄の白紙委任状を交付した（委任事項欄には、「A所有の甲土地に抵当権を設定するための一切の権限を与える」と書かれていたとしよう）。ところがBはこの抵当権設定のための手続を行わず、この白紙委任状を夫のDに交付してしまった。Dは、この白紙委任状を悪用し（すなわち代理人欄に自分の名を補充して、Aの代理人だと称して）、DがCから2000万円を借り受けるとともに、これを担保するためにAの所有する甲土地に抵当権を設定する旨の契約を締結した。

　このとき、Aは、自分の所有する甲土地に抵当権を設定するという代理権を、Dには与えていない。したがって、DがCとの間で行った抵当権設定契約は、無権代理となる。

　しかし、ここでは、Dに代理権を与えたかのような記載があるAの作成し

た委任状がCに示されている。すなわち、Aは、Cに対して、Dに代理権を与えた旨を表示していると評価することができる。このため、109条が適用され、（Cの善意無過失を要件として）表見代理が成立し、AはDの行った抵当権設定行為を、無権代理により無効だと主張することができなくなる。こうしたケースが、白紙委任状をめぐって、109条が適用される典型的な事案である。

3　権限外の行為の表見代理（110条）

(1)　概要

　表見代理の第二は、110条が定める権限外の行為の表見代理である。これは、代理人が与えられた権限に属さない行為をした場合、言い換えれば、ある事項について代理権を与えられている代理人が、それとは異なる事項について代理行為をした場合に問題となる。例えば、AがBに対して自己の所有する甲土地を売却するための代理権を与え、委任状や印鑑証明書などの必要書類を渡していたところ、Bがこれらの書類を悪用して、Aの名を顕名して、自己がCに対して負っている債務を担保するための抵当権を甲の上に設定したとしよう。この場合、Bは、甲の上に抵当権を設定することについては代理権を有しておらず、この行為は無権代理行為となる。

　しかし、この場合において、相手方Cから見て、代理人Bに当該行為をする権限があると「信ずべき正当な理由があるとき」には、表見代理が成立し、本人に効力が及ぶとされている（110条）。

(2)　要件

　110条の要件を詳しく説明しよう。110条の要件は、①代理人が代理権（基本代理権）を有していたことと、②相手方が代理権の存在を信じることについて「正当な理由」があることである。

(a)　基本代理権

　110条は、「代理人が」と規定しているため、無権代理行為を行った者が、何らかの代理権をもっていたことを要件としている。もちろん、代理人が実際にした行為について代理権をもっていたのであれば、それは有権代理となり、表見代理の問題は生じない。したがって、ここでは、無権代理行為として行われ

第5章　代理　**139**

た行為とは異なる事柄について代理権を与えられていたことが必要である。

> **基本「代理権」の必要性**
>
> 　判例によれば、代理人は文字どおり、法律行為を代理する権限という意味での「代理権」を与えられていることが必要であるとする（最判昭和39・4・2民集18巻4号497頁）。
>
> 　これに対しては、法律行為を代理する権限ではなく、事実行為を委託されているだけの者が、委託されたことと異なる事項について代理行為をした場合であっても、110条の表見代理の成立可能性を認めるべきであるとする反対説が有力に唱えられている。反対説が理由として挙げるのは、一方で非常に些細な法律行為を行う代理権（例えば鉛筆1本の売買契約を代理する権限）が与えられている場合にも110条の表見代理が成立するのに、他方で重大な事実行為が委託されている場合（例えば高額に及ぶ投資取引の購入者を勧誘・紹介することを委託されている場合）には110条の表見代理が成立しないというのは、不均衡であるというものである。
>
> 　しかし判例は、事実行為の委託しかしていない場合には、代理人が法律行為をすること（当該代理人の行為によって自己の権利・義務に変動が生じうること）を本人が受け入れているといえないとして、110条の表見代理が成立するための要件としては、法律行為を代理する権限という意味での「代理権」が必要であるとしている。

(b) 正当な理由

　さらに110条は、相手方が、代理権の存在を信じ、かつそう信じることについて「正当な理由」があることが必要だとしている。判例によると、この「正当な理由」は、無権代理人が当該行為について代理権をもっていないことについて、相手方が善意無過失であることをさすとされている（最判昭和44・6・24判時570号48頁）。

　このとき、「正当な理由」の有無について、判例は次のように判断するものとしている（最判昭和51・6・25民集30巻6号665頁参照）。

　まず、代理権があると称している者が、本人の実印を使って行為をしていた

とか、相手方との間で以前に有効な代理行為をしていたことがあるなどといった事情がある場合には、「正当な理由」が原則として認められる。

しかし、代理を用いた取引の中で、「不審事由」すなわち本当は代理権が存在していないのではないかとの疑いを生じさせるような事由がある場合には、「正当な理由」を簡単に認めることはできない。この場合には相手方は、代理権をもつと称している者が本当に代理権をもつのかどうかについて、本人に問い合わせるなどといった調査・確認を行うべきであるとされ、これを怠ったときには「過失」がある（すなわち「正当な理由」がない）と判断される。

「不審事由」の代表的な例としては、委任状に改竄の跡が見られる場合や、実印ではなく百円均一で購入したような三文判が用いられている場合が挙げられる。このほか、契約の内容が本人に一方的に不利となり、代理人に一方的に有利となるようなもの（例えば代理人の負う債務について本人が保証人となるという契約）であり、さらに本人と代理人が同居する親族であるなど代理人が本人の実印を持ち出すことが容易であるといった事情があるような場合にも、不審事由があると判断することができる。

4　代理権消滅後の表見代理（112条）

表見代理の第三は、112条が定める代理権消滅後の表見代理である。

代理権の消滅原因は、111条に定められている。その中でも、112条との関係で特に重要となるのは、委任の終了による代理権消滅である。例えば、AがBを代理人として選任し、自己の所有する甲土地を売却する代理権を与えることを内容とする委任契約を締結していたところ、その後AとBが不仲となったために、AがBとの委任契約を解除（651条1項）したとしよう。委任契約が解除されることによって、Bの代理権は消滅している（111条2項）。それにもかかわらずBが、Aの名を顕名して甲を売却する旨の契約をCと締結すれば、これは無権代理行為となる。

しかし、この場合において、相手方が代理権の消滅を知らなかったときには、本人は「責任を負う」、すなわち代理権があった場合と同様の効力を受けるものとされている（112条1項本文）。ただし、相手方が、代理権の消滅を知らないことについて過失があったときには、表見代理は成立しないものとされ

第5章　代理　**141**

ている（同項ただし書）。相手方に正当な信頼があるとは言えず、保護の必要性がないと判断されるからである。このため本人は、代理人の代理権を消滅させたときに、委任状を返還させるなどして、相手方の信頼が正当なものであるといえないようにすることによって、表見代理の成立を防ぐことが可能である。

代理権授与表示・代理権消滅による表見代理と「権限外」の行為

109条1項は、代理権を与えられていない者について、本人が代理権を与えたかのような表示をした場合において、この者が代理権を与えられたかのように表示された範囲内の行為をした場合に関する規定である。

あるいは112条1項は、代理権が消滅した後に、代理人であった者が、もともと有していた代理権の範囲内の行為をした場合に関する規定である。

では、これらの場合において、代理権があると称する者が、表示された代理権あるいはもともと有していた代理権の範囲を超える行為をしたときはどうなるか。110条は、権限外の行為が行われた場合に関する規定であるが、前提として、何らかの代理権を現に有している者が行為した場合であることを必要とするから、こうした場合に適用することができない。

そこで民法は、109条2項と、112条2項に、表示された代理権あるいはもともと有していた代理権の範囲を超える行為をした場合にも、相手方が代理権の範囲内の行為であったと信じることについて「正当な理由」があるときには、やはり表見代理が成立すると定めている。いわば109条1項と110条（あるいは112条1項と110条）をあわせたような規定の内容となっている。

142

第 6 章
時効

I 時効総説

1 時効とは

　Aが甲土地を購入し、そこに建物を建てて居住していたところ、甲土地の購入時から22年が経過した日に、乙土地を所有する隣人Bから「測量の結果、甲土地のうち丙の部分が私の所有地であることが判明した。今すぐ返して欲しい」と言われたとしよう。Aは、Bの請求に応じて丙の部分を返還しなければならないのだろうか（→【図表6-1】）。このとき、たとえ丙の部分が本当にBの所有地だったとしても、Aはこれを真に受けてBの請求に応じる必要はない。Aは22年にわたって甲土地の占有を継続しているので、時効による所有権の取得を主張できる可能性が残されているからである（162条1項）。

【図表6-1】取得時効

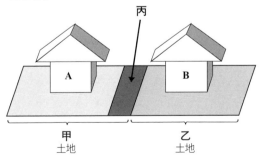

また、自動車を運転していたＣが、交差点の横断歩道を歩いていたＤをはねてしまい、長期の入院を必要とするほどの大怪我を負わせてしまったとしよう。その事故がＣの不注意によるものであった場合には、治療費や入院費用といった支出を余儀なくされたＤは、Ｃに対して、Ｃの加害行為に基づく損害賠償を請求することができる（709条）。

　もっとも、そのようなＤの請求が永久に認められているわけではない。Ｃの加害行為は、人の生命または身体を侵害する行為（不法行為）である。被害者またはその法定代理人（→109頁）が損害および加害者を知った時から５年間または不法行為の時から20年間行使しないときには、人の生命または身体の侵害による損害賠償請求権は時効によって消滅する（724条、724条の２）。ＤのＣに対する損害賠償請求権（＝ＤがＣに対して一定の金銭の支払を請求する権利）が時効によって消滅すれば、ＣがＤに対して負う損害賠償債務（＝ＣがＤに対して一定の金銭の支払を負う義務）も消滅する。その結果、ＣはＤに対する損害賠償責任を免れることになる。

　これらの場面では、①物の占有によって、ある者が所有者であるかのような事実状態や、②（そもそも権利の存在に気づいていない場合も含めて）長期間にわたる権利の不行使によって債権債務が存在しないかのような事実状態が続いていることがわかる。ある事実状態が一定の期間にわたって継続した場合に、これに対応する法律関係を尊重し、権利の取得または消滅という法律効果を認めるのが時効制度である。そして、①の事実状態において権利の取得を認めるのが「取得時効」であり、②の事実状態において権利の消滅を認めるのが「消滅時効」である。

2　時効制度の存在理由

　なぜこのような時効という制度が認められているのだろうか。次の３つをその根拠として考えることができる。

---

①継続した事実状態の尊重
②権利の上に眠る者は保護に値しない
③証拠の散逸による立証困難に対する救済

第一に、継続した事実状態に基づいて形成された法律関係が真実の法律関係と一致しないからといって、これを覆（くつがえ）してまで真実の法律関係に戻すことが常に適切であるとは限らない。これは「継続した事実状態の尊重」を時効制度の存在理由とするものである（①）。

第二に、仮に真実の権利者であったとしても、長期間にわたって権利を行使せずにその状態を放置した者は、他人の利益保護を優先して、その権利を奪われ、不利益を受けてもやむをえない。いわゆる「権利の上に眠る者は保護に値しない」ことを時効制度の存在理由として考えることができる（②）。

第三に、事実を証明するための資料は時間の経過とともに紛失しやすい。そのため、法律関係の内容について争いとなった訴訟の場において、継続した事実状態に基づいて形成された法律関係が真実の法律関係と一致していることを証明するのは難しい。そこで、「証拠の散逸による立証困難に対する救済」を時効制度の存在理由とすることができる（③）。

時効制度は、これらの根拠を複合的に組み合わせることで正当化できると解されている。

3　時効の完成とその援用

所定の期間（時効期間）にわたって一定の事実状態が継続した場合には、権利の取得や消滅の効果が生じる（162条、167条など）。「時効の完成」とは、そのようにして定められた時効期間の経過を意味する。時効完成前に権利者が「時効の更新」をすることができない場合や、そのことについて著しく困難な事情がある場合には、法律によって時効の完成を猶予させることができる。これを「時効の完成猶予」という（→本章Ⅳ）。

ところで、時効が完成したからといって、そのことだけをもって、ただちに継続した事実状態が尊重されるわけではない。時効の完成にともなう権利の取得や義務の消滅から生じる利益を受ける当事者は、時効の利益を受ける旨の意思表示を自らしなければならない。このような意思表示のことを「時効の援用」（→本章Ⅴ）という。他方、時効の利益を受ける者が時効の利益を受けない旨の意思表示をすることもできる。これを「時効利益の放棄」（→本章Ⅵ）といい、そのような意思表示がされた場合には、時効の効果は認められない。

第6章　時効　**145**

この章では、時効に関わるこれらの制度について、順を追って説明すること
にしよう。

II　取得時効の完成

1　要件

何年にもわたって他人の物を自己の物であると思い、これを使用している状
態が続いていた場合に、そのような状態を根拠として権利の取得を認めるのが
「取得時効」と呼ばれるものである。

(1)　所有権の時効取得

所有権の時効取得について、162条には、次のような要件が規定されている。

①「20年間」、(a)「所有の意思をもって」、(b)「平穏に、かつ、公然と」、
　(c)「他人の物を」占有したとき（1項）
②「10年間」、(a)「所有の意思をもって」、(b)「平穏に、かつ、公然と」、
　(c)「他人の物を」占有した場合であって、(d)「その占有の開始の時に、
　善意であり、かつ、過失がなかった」とき（2項）

他人の物を、自分が所有しているという意思（所有の意思）で平穏かつ公然
と占有すれば、つまり自分の支配下においてそれを手に入れ、使い続けて20年
が経過すれば、その所有権を取得する（①の場合）。また、占有開始時に善意、
つまり自分に所有権がないことを知らず、その知らなかったことについて過失
がなかった（知らなかったとしても仕方がない状況だった）というのであれば、平
穏かつ公然と占有を始めてから10年で時効取得できる（②の場合）。ここでいう
「善意」とは「事情を知らなかった」という意味である。

「所有の意思をもって」占有したこと ((a))、「平穏に、かつ、公然と」占有
したこと ((b)) および「他人の物を」占有したこと ((c)) は、①および②の場
合に共通の要件となっている。占有とは、「自己のためにする意思をもって物

を所持すること」(180条)をいう。自分が現実に物を所持する必要はない。他人に物を貸す場合のように、他人を通じて物を所持することもできる（181条参照。→ NBS 物権法第7章Ⅴ2）。

(a) 「所有の意思をもって」占有したこと

これは「所有者として物を所持すること」を意味する。162条には「意思」と規定されているが、ここでは内心の意思を意味するのではなく、所有の意思の有無は占有を生じさせた事実の性質によって客観的に判断されることに注意してほしい。例えば、売買契約（555条）で目的物を買った買主には、所有の意思が認められる。自分の土地との境界線を越えて隣人の土地を使用している者や、他人の物を盗んだ者にも、所有の意思が認められる。所有の意思をもってする占有のことを「自主占有」という。

これに対して、人の物を借りて使用している者（賃貸借契約の賃借人）、人の物を預かっている者（寄託契約の受寄者）には、いくら内心で自分のものであると信じて所持していたとしても、所有の意思は認められない。賃借人や受寄者は物を借りて使ったり、預かったりして支配はしているが、他人の物を「他人の物として」占有している。これを「他主占有」という。したがって、例えば、賃借人が建物を自分のものであると信じて20年を超えて借り続けていたとしても、その建物の所有者になることはない。

(b) 「平穏に、かつ、公然と」占有したこと

「平穏」とは、暴力的なものではないということであり、「公然」とは、隠され、秘密にされたものではないということである。

(c) 「他人の物を占有した」こと

時効は、一定期間にわたって継続した事実状態に対応する法律関係を尊重し、権利の取得という法律効果を認めるものである。その要件として「他人の物」の占有を挙げることができる。もっとも、時効は、そもそも権利者が誰であるのかが不明な状態において占有者に権利の取得を認めるものである。時効取得の対象物が占有者以外の他人の所有に属することを証明する必要はない。

「自己の物」について取得時効を認めることができるだろうか。例えば、Bから土地の明渡しを求められたAが、その土地の前所有者であるCから有効に譲り受けたことを理由として反論しようとしたところ、Cから譲り受けたこ

第6章　時効　**147**

とを証明する書類を紛失してしまった、またはCと音信不通になりその生死すら確認できないために、自分の前の持主が所有者であることを証明できない場合がある。このように、自己の所有物を占有していても、所有権の取得を基礎づける権原（ある法律行為または事実行為をすることを正当なものとする法律上の原因）について証明できない場合において、自己の物について時効取得の主張を認めることに実益がある。

(d) 占有開始時に善意かつ無過失であったこと

占有開始時に善意かつ無過失であったことが要件として加われば、10年の経過で時効取得ができる。ここでいう「善意」とは、占有を開始した物が他人の物であるのを知らなかったことをいい、「無過失」とは、善意であることについて過失がなかったことをいう。20年の取得時効の場合には、そうした要件が加えられていない。占有開始時に善意かつ無過失でなかった、つまり他人の物であると知っていたとしてもよいことになる。

(2) 所有権以外の財産権などの時効取得

取得時効は、所有権以外の財産権（163条）についても認められている。取得時効の対象となる財産権は、性質上、継続して行使することができる権利に限定される。具体的には、所有権以外の物権、特許権や著作権などの知的財産権、さらには利用権の性質を有する債権などについて認められている。

所有権以外の財産権の典型例は不動産賃借権である。不動産賃借権の場合、借主が不動産を占有し、これを使用することができるから、取得時効の対象となる。例えば、163条に基づいて不動産賃借権を時効取得するためには、目的物の占有が不動産賃借権という財産権の行使としての占有でなければならない。そのためには、土地の継続的な用益という外形的事実が存在し、かつそれが賃借の意思に基づくことが客観的に表現されているものでなければならない。

一方、親子関係など身分上の権利や解除権や取消権などの形成権は、取得時効の対象にはならない。また、一回的な給付を目的とする債権についても、取得時効の対象にはならない。例えば、一回的な給付を目的とする売買代金債権のような金銭債権は、取得時効の対象とはならない。給付を求めて権利を一度行使してしまうと、その権利は消滅してしまうので、取得時効の要件である長

期間の占有というものを観念することができないからである。

(3) 他主占有から自主占有に変わる場合

他主占有である間は取得時効が認められることはない。しかし、他主占有が自主占有に変わる場合がある。具体的には、①占有者が自分に占有をさせた者に対して、所有の意思があることを表示した場合や、②「新たな権原」によって、所有の意思をもって占有を始めた場合がある（185条）。例えば、賃借人が賃借りしていた動産を所有者から買い取った場合には、売買契約という新たな権原に基づいて当該動産を占有するので、以後は自主占有になる。このとき、仮に売買契約が無効であったとしても新たな権原による自主占有が始まったものとするのが判例の立場である。

賃借りしていた物件を相続によって承継しただけでは、占有者は被相続人（賃借人）の占有をそのまま引き継いだにすぎないので、自主占有にはならない。もっとも、判例には、占有者が、被相続人（賃借人）の占有を相続により承継しただけでなく、新たに目的物を事実上支配することにより占有を開始した場合には、新たな権原による占有と評価することができ、所有権を時効取得できるとしたものがある（最判昭和46・11・30民集25巻8号1437頁）。

占有者は所有の意思をもって善意で、平穏に、かつ公然と占有をするものと推定される（186条）。したがって、「占有者に所有の意思がない」、つまり占有者の占有は他主占有であると主張する者が、「占有者に所有の意思がないこと」の証明責任を負うことになる。

2 効果

(1) 原始取得

取得時効による権利の取得は、売買などの取引行為によって前主から権利を承継する「承継取得」ではなく、「原始取得」と呼ばれるものである。すなわち、取得時効によって新たな権利が発生すると考えられている。また、ある者が、時効によってある土地の所有権を取得すると、1つの物には所有権が1つしか成立することができないので（一物一権主義。→NBS物権法第1章Ⅲ3）、その土地の元の所有者は所有権を失うことになる。

第6章 時効 **149**

もっとも、時効で取得した所有権であっても、これを第三者に対抗するには、対抗要件としての登記（→NBS物権法第4章I1）が必要であるし、その登記は元の所有者からの移転登記をするべきものとされている。

(2) 起算点

　時効の効果は、時効が完成した時点または時効の援用の意思表示をした時点ではなく、時効の基礎になる事実が開始した時点に 遡って生じる（144条）。これを「時効の遡及効」といい、時効の基礎になる事実の開始時点を「起算点」という。現在の時点から遡って計算し、10年または20年の占有があれば時効取得できるというものではない。

　所有権の取得時効が完成して、これを援用する場合には、占有者は起算点である占有開始時に原始取得したものとされる。このように考えなければ、占有開始時から時効を援用するまでの間が不法占有になってしまい、不法占有を理由とする賠償金を支払わされる可能性があるからである。

　取得時効をめぐって実際に争いになるのは、不動産の取得時効者と当該不動産の登記を済ませた者との関係である。詳しくは物権法で学んで欲しい（→NBS物権法第4章II4）。

III　消滅時効の完成

　売主Aとの間で継続的な取引関係にあった買主Bが、ある日、突然Aから「15年前に支払期限となっていた商品の代金を今すぐ支払ってください」と言われたとしよう。Bは既に代金を支払っていたように思うものの、これを証明する領収書などは手元に一切なかった。このような場合にまで、BはAの請求に応じなければならないのだろうか。

　このような場合に、Bは消滅時効を援用することが考えられる。消滅時効という制度は、一定期間の経過によって、債権の消滅を認める制度である。これによって、Bが長期間の経過によって代金の支払を証明する文書などを紛失してしまい、支払自体を証明することができなくなった場合に、再度支払をする必要はないのである（時効制度の存在理由については、本章I2を参照）。

150

1　要件

⑴　原則

債権の消滅時効に関する時効期間について、166条に次のような原則が規定されている。

> ①「債権者が権利を行使することができることを知った時」（主観的起算点）から5年（1項1号）
> ②「権利を行使することができる時」（客観的起算点）から10年（1項2号）

債権者が自己の権利について行使可能であることを主観的に知ったのであれば、比較的短い期間の間にその権利を行使することが予想される。もっとも、その期間をあまりにも短く設定すると権利を保障した意味がないことから、5年の時効期間が定められている。この場合の時効の開始時点を「主観的起算点」という。「権利を行使することができることを知った」ことには「債務者を知った」ことも含まれると解されている。また、5年の時効期間に加えて、客観的に権利行使できる時から10年の時効期間も定められている。これを「客観的起算点」という。①または②のいずれかの期間が満了した時点で、消滅時効が成立することになる（→【図表6-2】）。

契約による債権のうち、とりわけ主たる給付に関するものについては、基本的に主観的起算点と客観的起算点が一致すると考えることができる。例えば、売主が買主との間で、ある目的物の売買契約を締結する際に、代金の支払は「2022年4月4日の正午に目的物と引換えで」としていたとしよう。買主が同日の正午に代金を支払わなかったときには、売主はその日から買主に対して権利を行使できるはずである。しかし、初日不算入の原則（140条本文→本章Ⅶ）により、支払日（2022年4月4日）の翌日、すなわち2022年4月5日から客観的起算点に基づく時効が起算することになる。一方、主観的起算点とは、売主が買主に対して「権利を行使することができることを知った時」であるから、同じく支払日の翌日である。したがって、【図表6-3】のように、その支払日の翌日から5年が経過することで、売買代金債権は消滅することになる。

【図表6-2】主観的起算点と客観的起算点
a. 5年の時効期間が先に満了した場合

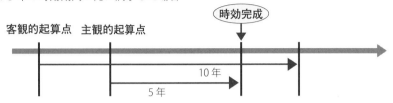

b. 10年の時効期間が先に満了した場合

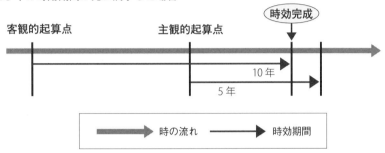

【図表6-3】契約による債権についての主観的起算点と客観的起算点

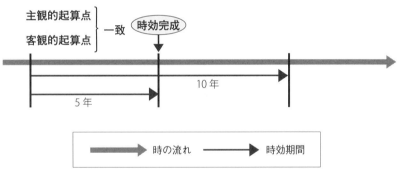

(2) 例外1：不法行為による損害賠償請求権の消滅時効

不法行為による損害賠償請求権の消滅時効について、その時効期間は、724条に次のような内容が定められている。

①「被害者又はその法定代理人が損害及び加害者を知った時」（主観的起算点）から3年（1号）

②「不法行為の時」（客観的起算点）から20年（2号）

　かつて不法行為による損害賠償請求権については、平成29年（2017年）の民法改正前では、724条前段に「被害者又はその法定代理人が損害及び加害者を知った時から3年間行使しないときは、時効によって消滅する」と規定され、724条後段には「不法行為の時から20年を経過したときも、同様とする」と規定されていた。当時、後者の「20年」は除斥期間（下の【コラム】参照）であると解されていたが、現在では消滅時効であることが明文化されている。なお、例えば、客観的起算点について、166条および167条には「権利を行使することができる時」（166条1項2号、167条）、724条には「不法行為の時」（724条2号）と規定されており、条文の文言は異なるものの、実質的にはそれぞれ同じ時点をさすものと解されている。

　①の「主観的起算点から3年」という時効期間は、消滅時効の一般原則である「主観的起算点から5年」より短くなっているが、不法行為に基づく損害賠償請求権について、こうした違いを設ける合理的な根拠を見出すことができるかどうか、議論の余地がある。

除斥期間

　消滅時効に類する制度として除斥期間がある。これは、主に法律関係を画一的に安定させるという公益的な要請を根拠として、権利を行使しない状態の継続という事実があればその権利を消滅させるというものである。

　除斥期間の場合、次のような特徴を有する。①時効の完成猶予および時効の更新は問題とならない。②当事者による時効の援用は問題とならず、法律で定められた期間の経過によって当然に権利が消滅する。③除斥期間の起算点は各規定が起点とする時であって、消滅時効のように「権利を行使することができることを知った時」とか「権利を行使することができる時」ではない。

　損害賠償請求権のように、請求権は権利を実現するにあたって相手方の協力を必要とするが、形成権の場合には、その性質上、権利者の一方的な意思表示

第6章　時効　**153**

によってその効果を生じさせることから、時効の更新などを考える必要はなく
除斥期間であると考えられる。判例には、解除権について改正前566条3項に
定める1年の期間制限が除斥期間であるとしたものがある。取消権について
も、126条後段に定める20年の期間は除斥期間であると解することができる。

　除斥期間は法律関係の画一的な安定に資するものではあるが、こうした理解
がかえって事案への柔軟な対応を妨げるものとして強く批判されていた。平成
29年（2017年）の民法改正により、改正前民法724条後段に定める20年の期間が
時効期間へと改められた。

(3)　例外2：人の生命または身体の侵害による損害賠償請求権の消滅時効

　人の生命または身体の侵害による損害賠償請求権の消滅時効について、その
時効期間は、167条および724条の2に次のような内容が定められている。

①「被害者又はその法定代理人が損害及び加害者を知った時」（主観的起算
　点）から5年（724条の2）
②「権利を行使することができる時」（客観的起算点）から20年（167条）

　人の生命または身体の侵害は重大な法益の侵害である。したがって、こうし
た法益を保護する必要性が高いのは当然のことである。これに加えて、生命や
身体について侵害を受けた者は治療のために長期間の入院を余儀なくされるこ
ともあり、そのような状況では時効の完成を阻止するための行動を起こすこと
もままならない。そこで、例外的に、人の生命または身体の侵害による損害賠
償請求権の消滅時効については、時効期間がより長く設定されているのであ
る。

　平成29年（2017年）の民法改正前では、人の生命または身体の侵害による損
害賠償請求権について、これが不法行為によるものと考えるのか、（安全配慮義
務違反や保護義務違反を理由とする）債務不履行によるものと考えるのかによっ
て、時効期間にある種の「ずれ」が生じていた。

　人の生命または身体の侵害による損害賠償請求権を不法行為による損害賠償

請求権として請求する場合には、その請求権は、被害者もしくはその法定代理人が損害および加害者を知った時から3年（改正前民法724条前段）または不法行為の時から20年（改正前民法724条後段）で消滅する。これに対して、人の生命または身体の侵害による損害賠償請求権を債務不履行による損害賠償請求権として請求する場合には、原則に従って（改正前民法167条1項）、10年で時効によって消滅するとされていた。

　こうしたずれを解消するために、平成29年（2017年）の民法改正では新たに統一的な規定を設けることが提案され、主観的起算点からの時効期間については、3年（724条1号）が5年に延長され（724条の2）、客観的起算点からの時効期間については、10年（166条1項2号）が20年に延長されることになった（167条）（→【図表6-4】）。

【図表6-4】主観的起算点からの時効期間と客観的起算点からの時効期間

	主観的起算点から	客観的起算点から
原則（166条）	5年	10年
不法行為による損害賠償請求権（724条）	3年	20年
人の生命または身体の侵害による損害賠償請求権（724条の2、167条）	5年	20年

(4) 例外3：定期金債権の消滅時効

　賃料債権や扶養料債権のように、定期的に一定の給付を請求しうる債権を生み出す基礎となる債権を「定期金債権」という。定期金債権の消滅時効について、その時効期間は、次のように定められている。

① 「債権者が定期金の債権から生ずる金銭その他の物の給付を目的とする各債権を行使することができることを知った時」（主観的起算点）から10年（168条1項1号）

第6章　時効　**155**

②「各債権を行使することができる時」（客観的起算点）から20年（168条1項2号）

　以上のような定期金債権とは異なり、具体的に発生する個々の債権（例えば、月々に発生する賃料にかかる債権）については、一般原則（166条1項）が適用される。なお、金銭消費貸借による債権を月々の分割払とした債権は、一定の債権額を単に分割しただけのものである。したがって、その消滅時効は各々の分割払債権ごとに一般原則（166条1項）が適用され、定期金債権には該当しない（大判明治40・6・13民録13輯643頁）。

(5)　例外4：判決等で確定した権利の消滅時効

　確定した判決またはこれと同一の効力を有するもの（以下「確定判決等」と略する）によって確定した権利の消滅時効について、10年より短い時効期間の定めがあるものであっても、その時効期間を10年とする規定がある（169条1項）。

　権利の存在が確定判決等によって明らかにされ、証拠としての価値が認められたのであれば、もはや10年より短い消滅時効をあえて適用する意味はない。また、仮に確定判決等を得た後も10年より短い消滅時効が適用されることになると、債権者は時効による権利の消滅を防ぐために、改めて訴訟を提起するなどの措置を講じなければならない。そこで、以上のような不都合を回避するために、上記のような規定が定められている。

　もっとも、この規定は、権利が確定した時に弁済期の到来していない債権については適用されない（169条2項）。

短期消滅時効の廃止

　平成29年（2017年）の民法改正前では、民法典に数多くの短期消滅時効が規定されていた。例えば、医師の診療報酬債権は3年で（改正前民法171条）、弁護士や公証人の報酬債権は2年で（改正前民法172条）、および旅館の宿泊料に関する債権は1年で（改正前民法173条）時効により消滅するとされていた。平成29年（2017年）の民法改正でこうした規定はすべて削除されることになった。

　このような短期消滅時効に関する一連の廃止は、時効期間を統一することで

より法的安定性を高めるために行われたものと解されている。しかし、少額であることからこれまで領収証などの保管をしていなかったものまで、3年から5年に延びてしまったために領収書などの保管コストがより一層かかることになっており、実務上、短期消滅時効の廃止に対して強い批判がみられる。

また、平成29年（2017年）の民法改正によって商法522条が削除されることになった（同条は客観的起算点から5年の消滅時効を定めていた）。しかし、この改正に対しては、取引が画一的に行われることの多い商事取引において主観的起算点による消滅時効が導入されることへの批判や、商事取引においても客観的起算点による消滅時効が10年とされることで、領収書などの証拠書類を、これまでであれば商法522条によって5年で廃棄できるところ、10年間保管する必要性が生じることへの批判も多い。

2　効果

以上の時効期間が経過し、時効が援用されると（後述）、権利が消滅する。上記のように、時効の効果は起算点に遡って生じる。144条によれば、「時効の効力は、その起算日にさかのぼる」と規定されている。例えば、Bに対して金銭を貸し付けたAは、Bに対する貸金債権を有するが、この債権が時効によって消滅することになれば、貸金債権の債務者Bは、債権者Aに対して、起算日（弁済期）以降の利息などの支払義務を負うことはない。

Ⅳ　時効の完成猶予および更新

1　時効の完成猶予および更新が生じる場面

時効の完成猶予と更新については、まずは次のような具体例で説明することにしよう。

【ケース1】Aは、Bに物品を販売したが、その代金を支払日に受け取らないまま4年が経過した時に、Bに対して売買代金の支払を求めて訴訟を

第6章　時効　**157**

提起することにした。

　時効の完成を妨げるために、時効の更新（後述）のための手続がとられた場合や、時効がまさに完成しようとする時に、権利者が時効を更新することができない場合、または、そのことについて著しく困難な事情がある場合に、法律によって時効の完成を猶予させる制度を「時効の完成猶予」という。ケース１では、５年（あるいは10年）の売買代金債権の消滅時効が完成する前の４年が経過したところで訴訟提起がなされている。これは、147条１項１号に定める「裁判上の請求」に当たり、完成猶予事由となる。そして、この事由が終了するまでの間は、時効が完成しないことになる。

【ケース２】 ケース１において、Ａは、訴訟係属中に訴えを取り下げることにした。

　このような訴えの取下げは、147条１項柱書に定める「確定判決又は確定判決と同一の効力を有するものによって権利が確定することなくその事由が終了した場合」に該当する。そして、権利が確定することなくその事由が終了した時（ここでは訴えの取下げの時）から６か月を経過するまでの間は、時効は完成しない（→【図表６-５】）。

【ケース３】 ケース１において、Ａは、Ｂに対して売買代金の支払を裁判所が命じる確定判決を得ることとなった。

　ケース３は「時効の更新」に当たる場合である。147条２項に定める「確定判決又は確定判決と同一の効力を有するものによって権利が確定したとき」が更新事由に当たる。そして、時効は、147条１項各号に掲げる事由、すなわち「完成猶予事由が終了した時」から新たにその進行を始めることになる（その期間は169条１項により10年である）。

　確定判決によって真実の権利関係が確定され、一定期間にわたって継続した事実状態が真実の権利関係を反映している蓋然性が破られることになるから、

【図表6-5】完成猶予事由の発生および終了

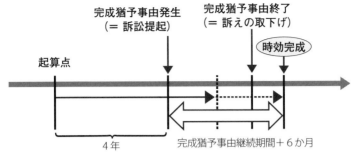

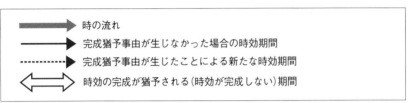

そのような事実状態を尊重する必要性は乏しい。そこで、時効の更新があれば、これまで進行していた時効の期間は無意味になり、新たに時効が進行することになる。

なお、確定判決等によって権利が確定する場合は、「確定判決又は確定判決と同一の効力を有するものによって権利が確定することなくその事由が終了した場合」以外に当たる。したがって、完成猶予事由も終了することになる（→【図表6-6】）。

以上のように、民法は、当事者間で生じた状況にあわせて、権利行使の意思を明らかにしたと評価できる事実が生じた場合を「完成猶予」事由として、また、権利の存在について確証が得られたと評価できる事実が生じた場合を「更新」事由として分類している。これを表にまとめると【図表6-7】のようになる。なお、147条以下に定める完成猶予および更新は、取得時効について自然中断（占有喪失による取得時効の中断。164条）が認められていることを除けば、取得時効と消滅時効の両方に共通する。

以下では、AがBに物品を販売したが、その代金を支払日に受け取らないまま数年が経過してしまった時にAがとり得る行動を想定しながら、完成猶

第6章 時効 | 159

【図表 6-6】時効の更新

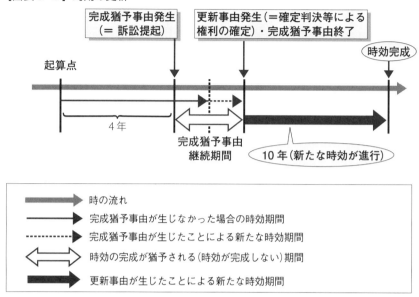

予または更新の内容をみていくことにしよう。

2　承認による時効の更新

> 【ケース 4】A は B に物品を販売したが、その代金を支払日に受け取らないまま 4 年が経過した時に、B に「4 年前に販売した物品の代金を払っていませんよね」と尋ねた。その場で B は未払であることを認めたが、その後も支払わずに支払日から 5 年が経過した。

　時効による権利取得が目前であるにもかかわらず、弁済を済ませていない債務者が真実の権利者の権利を承認することもあるだろう。時効によって利益を受ける者が自ら権利を認めている以上、一定期間にわたって継続した事実状態が真実の権利関係を反映している蓋然性は破られたことになるから、そのような事実状態を尊重する必要はなく、時効が更新されることになる。時効の更新

【図表6-7】完成猶予事由と更新事由

条文	事由	完成猶予	更新
147条	裁判上の請求（1項1号、2項） 支払督促（1項2号、2項） 和解、民事調停、家事調停（1項3号、2項） 破産手続参加、再生手続参加、更生手続参加（1項4号、2項）	確定判決等によって権利が確定することなく終了した場合：終了時から6か月経過まで 上記以外の場合：終了まで	確定判決等によって権利が確定した時：終了時
148条	強制執行（1項1号、2項） 担保権の実行（1項2号、2項） 担保権の実行としての競売（1項3号、2項） 財産開示手続（1項4号、2項）	申立ての取下げ・取消しによって終了した場合：終了時から6か月経過まで 上記以外の場合：終了まで	終了時
149条	仮差押え（1項） 仮処分（2項）	終了時から6か月経過まで	
150条	催告	催告時から6か月経過まで	
151条	協議を行う旨の合意	次のいずれか早い時まで ①合意時から1年経過 ②協議期間経過 ③協議続行拒絶通知から6か月経過	
152条	承認		承認時
158条	時効期間満了前6か月以内の未成年者または成年被後見人の法定代理人の不在（1項）	成年被後見人が行為能力者となった時または法定代理人が就職した時から6か月経過まで	
	未成年者または成年被後見人が父、母または後見人に対して有する権利（2項）	未成年者もしくは成年被後見人が行為能力者となった時または後任の法定代理人が就職した時から6か月経過まで	
159条	夫婦の一方が他の一方に対して有する権利	婚姻の解消時から6か月経過まで	
160条	相続財産	相続人が確定した時、管理人が選任された時または破産手続開始の決定があった時から6か月経過まで	
161条	天災その他避けることのできない事変	障害が消滅した時から3か月経過まで	

があれば、これまで進行していた時効の期間は無意味になり、権利の承認があった時から新たに時効が進行する。例えば、5年の消滅時効が4年進行したところで権利の承認という更新事由が発生した場合、その承認があった時から新たに時効が進行する（152条1項）。承認をするにあたって、相手方の権利についての処分について行為能力の制限を受けていないこと、または権限があることを要しない（152条2項）（→【図表6-8】）。

第6章　時効　**161**

【図表6-8】承認による時効の更新

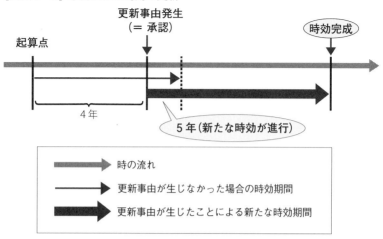

3 催告による時効の完成猶予

【ケース5】Aは、Bに物品を販売したが、その代金を受け取らないまま4年10か月が経過した時に、Bに対して代金の支払をうながす旨の督促状を内容証明郵便で送った。

催告とは、裁判上の請求等の手続によらずに「裁判外で」債務者に対して履行を請求する債権者の意思の通知をいう。その典型は督促状である。実質的に催告であると認められるのであれば、その形式や方式は自由である（ただし、後に訴訟で争いになる場合を想定して、内容証明郵便で送る方が賢明だろう）。催告が完成猶予事由となるのは、債権者が単なる時効の更新を目的として、債務者に対して突然訴訟を提起しようとするのを回避するためである。催告の時から6か月を経過するまでは時効が完成しない（150条1項）。なお、催告を繰り返すことで時効の完成を引き延ばすことはできない（150条2項）（→【図表6-9】）。

【図表 6-9】催告による時効の完成猶予

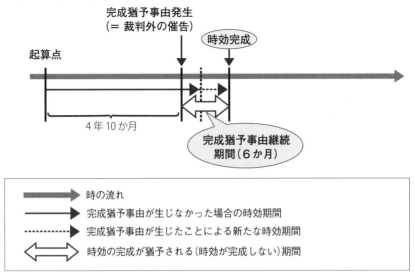

4 協議を行う旨の合意による時効の完成猶予

> 【ケース 6】Aは、Bに物品を販売したが、その代金を受け取らないまま4年10か月が経過した時に、Bとの間で当該代金に関する協議を行う旨の合意をかわした。

協議を行う旨の合意による時効の完成猶予について、次のような定めがある。「権利についての協議を行う」旨の合意を「書面（151条4項により電磁的記録も含む）」で行った場合に、①その合意があった時から1年を経過した時、②その合意において、当事者が1年に満たない協議期間を定めたときは、その期間を経過した時、または③当事者の一方が相手方に対して「協議の続行を拒絶する」旨の書面による通知をした時から6か月を経過した時のうち、いずれか早い時までの間は、時効は完成しない（151条1項）。

通常であれば、①または②のいずれかに該当するだろう。しかし、場合によ

第6章 時効 | 163

っては、協議自体の継続を望まないこともあり得る。そこで、③のような可能性が残されている。催告の場合と同じく、完成猶予の効力が認められるのは、単に時効を更新することを目的として突然訴訟を提起するという事態を回避するためである(→【図表6-10】)。

【図表6-10】協議を行う旨の合意による時効の完成猶予

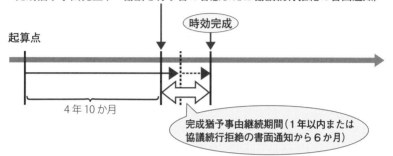

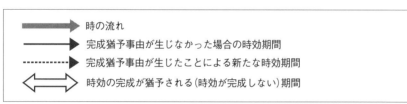

協議を行う旨の1回目の合意による最長期間は、その合意があった時から1年であるが(151条1項)、時効の完成が猶予されている間に改めて合意(再度の合意)をすることができる(151条2項)。ただし、そのような再度の合意が有する時効の完成猶予の効力が無制限に認められているわけではない。時効の完成が猶予されなかったとすれば時効が完成すべき時、すなわち、本来の時効期間の満了時から通算して5年を超えることができない(151条2項ただし書)(→【図表6-11】)。

なお、催告がされたことによって時効の完成が猶予されている間に協議の合意をしても、完成猶予の効力が延長することはない。また、協議の合意によって時効の完成が猶予されている間に催告をしても、完成猶予の効力が延長することはない(151条3項)。

【図表6-11】時効完成猶予期間中の再度の合意

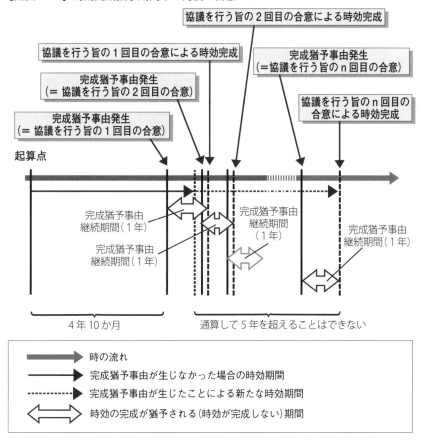

5 裁判上の請求等による時効の完成猶予および更新

(1) 時効の完成猶予

裁判上の請求等による時効の完成猶予事由は、147条に次のように規定されている。

①裁判上の請求（1項1号）
②支払督促の申立て（1項2号）

③民事訴訟法275条1項の和解、民事調停または家事調停の申立て（1項3号）

④倒産手続への参加（1項4号）

　これらの完成猶予事由が終了するまでの間は、時効は完成しない。①の裁判上の請求については、ケース1で説明した。ケース1では、売買代金債権の消滅時効が完成する前の、支払日から4年目に訴訟が提起されている。これは、147条1項1号に定める「裁判上の請求」に当たり、完成猶予事由となる。

　このほかの完成猶予事由として上記②ないし④を挙げることができる。支払督促（②）は、私人が督促状などを通じて支払を催促する裁判外の催告（150条→162頁）とは異なり、金銭その他の代替物または有価証券の一定数量の給付を目的とする請求について、債権者の申立てによって裁判所書記官が発するものをいう（民訴382条）。支払督促は、債務者が督促異議の申立てをした場合には通常の訴訟に移行し（民訴395条）、異議の申立てがないか、または却下されたときは、確定判決と同一の効力を有する（民訴396条）。支払督促も「確定判決と同一の効力を有するもの」に当たり、完成猶予事由のひとつとして規定されている。

　民事訴訟法275条1項に定める和解は「訴え提起前の和解」をさす。これに加えて、民事調停法に定める民事調停または家事事件手続法に定める家事調停も完成猶予事由である（③）。破産手続参加、再生手続参加または更生手続参加といった、一連の倒産手続への参加も完成猶予事由である（④）。

　上記のように、これらの完成事由が終了するまでの間は、時効が完成しない。もっとも、訴えの却下や取下げ等は、「確定判決又は確定判決と同一の効力を有するものによって権利が確定することなくその事由が終了した場合」（147条1項柱書参照）に該当する。したがって、その終了時から6か月を経過するまで、時効は完成しない（147条1項）。

(2)　時効の更新

　確定判決または確定判決と同一の効力を有するものによって権利が確定したことが「更新」事由とされている（147条2項）。①支払督促の場合には、支払

督促が確定した時、②和解または調停の場合には、和解または調停が成立した時、③倒産手続への参加の場合には、権利の確定に至り、手続が終了した時から、時効が新たに進行を開始する。

6　強制執行等による時効の完成猶予および更新

(1)　時効の完成猶予

強制執行等による時効の完成猶予事由は、148条に次のように規定されている。

---

①強制執行（1項1号）

②担保権の実行（1項2号）

③民事執行法195条に規定する担保権の実行としての競売の例による競売（1項3号）

④民事執行法196条に規定する財産開示手続または同法204条に規定する情報取得手続（1項4号）

これらの完成猶予事由が終了するまでの間は、時効は完成しない。強制執行とは、国家権力を用いて私法上の請求権を強制的に実現する手続のことをいう。具体的には、次のケースで考えることにしよう。

【ケース7】Aは、Bに物品を販売したがBがその代金を支払わないので、代金の支払を求めて訴訟を提起した。裁判では、Bに代金の支払を命じる判決が下されたが、Bがその判決に従わず、代金を支払おうとしない。そこで、Aは、Bの財産から強制的に債権を取り立てようと考えて、強制執行の申立てを裁判所にすることになった。

ケース7のように、売買代金債権の債権者Aとしては、せっかく勝訴判決を得たにもかかわらず、債務者Bがその判決内容に従って代金をAに支払わないのであれば、わざわざ訴訟を提起した意味もなくなる。そこで、確定判決、支払督促または和解等にもかかわらずBがAに対して負っている債務を

第6章　時効　**167**

履行しないときは、Aはこれらを「債務名義」として強制執行を申し立てることができる。この申立てに基づいて、強制執行における最初の段階として、執行機関が債務者の財産の処分を禁止し、その財産を確保する行為として「差押え」がなされる。

ケース7の場合、時効の完成前に強制執行の申立てがなされていることから、これは148条1項1号に定める「強制執行」に該当し、完成猶予事由となる。したがって、強制執行の申立てが終了するまで、AのBに対する売買代金債権の消滅時効は完成しないことになる。

ただし、強制執行の申立てが取り下げられた場合には、その終了の時から6か月を経過するまで、時効は猶予されることになる（148条1項柱書）（→【図表6-12】）。なお、このほかには②の担保権、例えば抵当権の実行が終了するまで、AのBに対する売買代金債権の消滅時効は完成しない（148条1項柱書）。

【図表6-12】強制執行の申立ての取下げによる時効の完成猶予

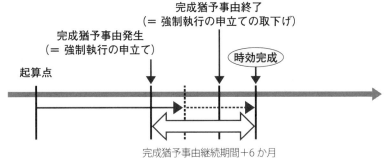

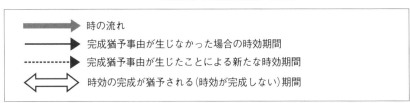

(2) 時効の更新

148条1項各号に掲げる事由が終了した時から、新たに時効が進行する（148条2項）。

7　時効の完成猶予に関するその他の規定

その他、時効の完成猶予に関して次のような規定がある。

①仮差押え等による時効の完成猶予　　仮差押えとは、金銭債権の債務者の財産について、その現状を維持しておかなければ将来強制執行を行うことができなくなるおそれがある場合に、あらかじめ債務者の財産の現状を維持するために、これを暫定的に差し押さえて、その財産の処分を禁じるなどの保全措置を講じる手続をいう。

仮処分とは、さまざまな原因によって民事上の権利を実現することができない場合に、これを保全するために、その権利に関する紛争が訴訟的に解決するか、または強制執行が可能となるまでの間、暫定的・仮定的になされる裁判またはその執行をいう。仮差押えまたは仮処分の申立てがなされ、その手続が終了した時から6か月を経過するまでの間は、時効は完成しない（149条）。

②未成年者または成年被後見人に関する時効の完成猶予（→【図表6-13】）時効期間の満了前の6か月以内の間に未成年者または成年被後見人に法定代理人がいないときは、その未成年者もしくは成年被後見人が行為能力者となった時または法定代理人が就職した時から6か月を経過するまでの間は、その未成年者または成年被後見人に対して、時効は完成しない（158条1項）。

また、未成年者または成年被後見人がその財産を管理する父、母または後見人に対して権利を有するときは、その未成年者もしくは成年被後見人が行為能力者となった時または後任の法定代理人が就職した時から6か月を経過するまでの間は、その権利について時効は完成しない（158条2項）。

③夫婦間の権利に関する時効の完成猶予　　夫婦の一方が他の一方に対して有する権利については、婚姻の解消の時から6か月を経過するまでの間は、時効は完成しない（159条）。

④相続財産に関する時効の完成猶予　　相続財産に関しては、相続人が確定した時、管理人が選任された時または破産手続開始の決定があった時から6か月を経過するまでの間は、時効は完成しない（160条）。

⑤天災等に関する時効の完成猶予　　天災その他避けることのできない事変のために裁判上の請求等（147条1項各号）または強制執行等（148条1項各号）

【図表 6-13】未成年者または成年被後見人に関する時効の完成猶予

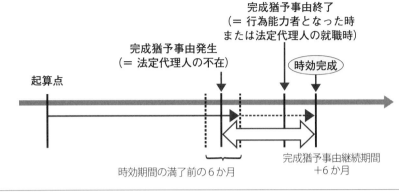

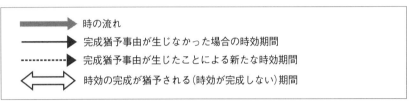

を行うことができないときは、その障害が消滅した時から3か月を経過するまでの間は、時効は完成しない（161条）。

以上のように、時効が完成する間際になって一定の事由が生じたために、権利者の権利を時効完成によって失わせることが不合理である場合に、時効の進行を一時的に止めて、完成を猶予することになる。

8　時効の完成猶予または更新の効力が及ぶ者の範囲

以上のような時効の完成猶予および更新は、当事者およびその承継人の間においてのみ、その効力を生じる（153条）。これを時効の完成猶予・更新の相対効という。

また、154条によれば、148条1項各号（強制執行等）または149条各号（仮差押え等）に掲げる事由に係る手続は、時効の利益を受ける者に対してしないときは、その者に通知をした後でなければ、148条または149条による時効の完成猶予または更新の効力を生じない。

V 時効の援用

1 時効の援用とは

　時効の完成にともなう権利の取得や義務の消滅から生じる利益を受ける当事者は、そうした時効の利益を受ける旨の意思表示を自らする必要がある。この意思表示のことを「時効の援用」という（145条）。時効が完成しても、これによって当然に権利の取得や義務の消滅が生じるわけではない。権利の取得や義務の消滅という利益を受けるかどうかは、時効の利益を主張する側の当事者の意思に委ねられているのである。なお、援用の場所については、時効の援用は裁判内のみならず、裁判外でも行うことができる。

　時効の援用は、時効の完成によって生じる効果とどのような関係にあるのだろうか。時効の援用にかかる法的性質については、見解が分かれている。ここでは、近時の多数説である不確定効果説に従って説明することにしよう。この見解によれば、時効が完成することで、権利の取得や義務の消滅といった時効の効果が「不確定的に」生じることになる。そして、その効果が生じるか否かは、時効の援用または時効利益の放棄によって確定すると考える。時効の完成ではまだ時効の効果が確定するわけではないことから、このように呼ばれている。不確定効果説によれば、時効の利益を受けることを望まない者に対して、時効の効果を及ぼして、その利益を押しつけるべきではなく、145条は、そのような者に対して時効の利益を受けるか否かの選択権を与える規定であると理解されている。

　不確定効果説のうち、時効の援用が、時効の効果を発生させるための条件のように機能すると考える見解は「停止条件説」と呼ばれている。判例も、停止条件説に立っていると考えられている（最判昭和61・3・17民集40巻2号420頁）。

2 援用権者の範囲

　時効は当事者が援用しなければ、裁判所がこれによって裁判をすることができない（145条）。ここにいう「当事者」とは、判例によれば、「時効によって直接に利益を受けるべき者」のことをいう（大判明治43・1・25民録16輯22頁な

第6章　時効　**171**

ど）。取得時効の場合であれば、時効によって直接に権利を取得する者であり、消滅時効の場合であれば、時効によって直接に義務を免れる者である。これに加えて、消滅時効については、「保証人、物上保証人、第三取得者その他権利の消滅について正当な利益を有する者」と規定されている（145条）。もっとも、どのような者が援用権者に含まれるかは、個別具体的に判断する必要がある。

(1) 取得時効の場合

> 【ケース8】Aは、Bが甲土地の上に建てた乙建物をBから賃借していた。その後、甲土地が実はCの所有地であることが判明したが、甲土地について取得時効が完成していた。

　まず、甲土地を占有するB自身が、時効を援用して所有権の取得をCに対して主張することができるのは言うまでもない。所有権以外の財産権の取得時効についても、自己のためにする意思をもって権利行使を継続しているのであれば、そのような者もまた時効を援用することができる。

　目的不動産上に建てられた建物の賃借人はどうだろうか。ケース8のように、乙建物の賃借人Aが、Bの取得時効を援用することができるだろうか。判例は、土地の所有権を時効取得すべき者から、その者が当該土地上に所有する本件建物を賃借しているにすぎない者は、取得時効の完成によって直接に利益を受ける者ではないとして、援用権を否定している（最判昭和44・7・15民集23巻8号1520頁）。この場合、Aとしては、Bに取得時効を援用してくれるように頼むしかない。

(2) 消滅時効の場合

> 【ケース9】Aは、消滅時効が完成していたBに対する貸金債権を有していた。このとき、①この債権について、Cが保証していた。②この債権について、Dが所有する甲土地に抵当権が設定されていた。③この債権に

ついて、Bが所有する乙土地に抵当権が設定されていたところ、EがBから乙土地を購入していた。④Fは、Bに対してAが有する貸金債権とは別の貸金債権を有していた。

消滅時効の場合、債務者Bが援用権者に含まれることについては争いがない。これまで、判例によって保証人、物上保証人（他人の債務のために自己所有の不動産を担保として提供する者のことをいう。→NBS担保物権法第2章Ⅱ1）および第三取得者（例えば、抵当権が設定された不動産を抵当権設定者から譲り受けた第三者のことをいう。→NBS担保物権法9頁）が援用権者に含まれると解されてきたが、これらの者は、平成29年（2017年）の民法改正にあたって145条に規定されることになった。したがって、ケース9①ないしケース9③の場合、保証人C、物上保証人Dおよび第三取得者Eは、Aが有するBに対する貸金債権の消滅時効について、これを援用することができる。

なお、145条には「その他権利の消滅について正当な利益を有する者」も援用権者に含まれることが規定されているが、どのような者が「正当な利益を有する者」に当たるかについては、引き続き解釈に委ねられている。

他方、ケース9④のように、債務者に金銭を貸し付ける際に、抵当権などの担保権の設定を受けていない無担保の債権者のことを「一般債権者」という（→NBS担保物権法第1章1）。判例は、一般債権者は原則として消滅時効を援用することはできないとしている（大判大正8・7・4民録25輯1215頁）。もっとも、債務者が無資力の場合、一般債権者が債務者の時効援用権を代位行使することは認められている。これは「債権者代位権」に基づく代位行使（423条）である。また、判例には、抵当不動産の後順位抵当権者は援用権者に含まれないとしたものもある（→【コラム】）。

抵当不動産の後順位抵当権者は時効の援用権者に当たるか

145条に定める「正当な利益を有する者」に当たるか否かについて争いとなっているもののひとつとして、抵当権不動産の後順位抵当権者がある。

抵当権は、基本的には特定の債権のみの担保を前提としている。例えば、ケース9③では、Bに金銭を貸し付けたAは、B所有の乙土地に抵当権の設定

を受けているが、この抵当権は、AのBに対する貸金債権αのみを担保する。そして、さらにAがBに別の日に金銭を貸し付けていたとしても、これによるBに対する貸金債権βと抵当権は無関係である（→NBS担保物権法第1章1、第2章V1）。

　ところで、Bが、AとGからそれぞれ金銭の貸付を受けるにあたって、同一の不動産に複数の抵当権が別個に設定されることがある。例えば、B所有の乙土地に対して、AのBに対する貸金債権αを担保するための1番抵当権が、GのBに対する貸金債権γを担保するための2番抵当権が設定されていたとしよう（このときのAを「先順位抵当権者」、Gを「後順位抵当権者」という）。Bが双方の債権を弁済できずに抵当権が実行された場合には、まずは上位にあるAから債権の回収を行うことができる。

　それぞれの抵当権設定後にAの貸金債権が弁済や時効の完成によって消滅すれば、Aのための1番抵当権は消滅する。Gのための2番抵当権は、Aのための1番抵当権が消滅したことで順位が上昇し、1番抵当権になる。これを「順位昇進の原則」という（→NBS担保物権法19頁）。

　このとき、Gのための2番抵当権が1番抵当権に順位が昇進する実益は何か。例えば、貸金債権αが800万円で、貸金債権γが500万円で、かつ乙土地の評価額が1000万円であった場合には、仮にAのための1番抵当権が存続していたのであれば、Gは200万円を回収できるにすぎない。ところが、仮にAのための1番抵当権が消滅したのであれば、順位昇進の原則によってGは500万円全額を回収できる可能性が開かれることになる。

　そこで、こうした利益が145条に定める「正当な利益」に当たるか否かが問題となる。判例は、先順位抵当権の被担保債権（担保物権によって担保される債権）が消滅すると、後順位抵当権者の抵当権の順位が上昇し、これによって被担保債権に対する配当額が増加することがあり得るとしながらも、配当額の増加に対する期待は抵当権の順位の上昇によってもたらされる「反射的な利益」にすぎないとして、後順位抵当権者が先順位抵当権の被担保債権の消滅時効を援用することはできないとしている（最判平成11・10・21民集53巻7号1190頁）。

3　援用の効果が及ぶ範囲

　援用の効果が及ぶ範囲は相対的であると解されている。つまり、ある援用権者の援用の効果は、他の援用権者には及ばない。そもそも時効の援用は、時効の利益を受けるかどうかを当事者の意思に委ねているから、その利益を受けることを望む当事者の財産権を保護することで足りるためである。

　例えば、ケース９①の場合、保証人Ｃが主たる債務（債務者Ｂが債権者Ａに対して負う債務）の消滅時効を援用しても、主たる債務はＡとＣとの間でのみ消滅するのであり、ＡがＢに対する債権を失うことはない。これに対して、Ｂが主たる債務の消滅時効を援用した場合には、保証債務（ＣがＡに対して負う債務）が主たる債務とともに消滅するのだが、これはＢによる消滅時効の援用の効果ではなく、「保証債務の付従性」という性質によって認められているものである。

　また、ケース９②の場合、Ｄが被担保債権（ここでは、ＡのＢに対する貸金債権がこれに当たる）の消滅時効を援用する場合、Ｄの抵当権を消滅させるのに必要な限度で被担保債権は消滅するのであって、ＡがＢに対する債権を失うことはない。これに対して、Ｂが被担保債権の消滅時効を援用した場合には、Ｄの抵当権も消滅するのだが、これもＢによる消滅時効援用の効果ではなく、抵当権に認められている「付従性」という性質によるものである（付従性については、→ NBS担保物権法第１章４）。

　同様に、ケース９③の場合も、Ｅが被担保債権の消滅時効を援用する場合、Ｅの抵当権を消滅させるのに必要な限度で被担保債権は消滅するのであって、ＡがＢに対する債権を失うことはない。

Ⅵ　時効利益の放棄

1　時効利益の放棄・時効完成前の放棄の禁止

時効の利益を受けるかどうかは当事者の意思に委ねられているので、当事者が、完成した時効の利益を放棄することもできる。時効利益の放棄は、放棄者

第6章　時効　　**175**

の一方的な意思表示によって行われ、相手方の同意を必要としない。

時効利益を放棄した者は、既に完成していた時効を援用することができなくなるが、時効利益の放棄の効果は相対的である。例えば、主たる債務者が時効利益を放棄した場合でも、保証人、連帯保証人、物上保証人は、なお時効を援用することができる。時効の利益を放棄した者は、既に完成していた時効を援用することはできないが、時効利益の放棄があった場合、放棄の時点から新たな時効が進行することになる。

他方、当事者は、時効の利益をあらかじめ放棄することはできない（146条）。「あらかじめ」とは、時効完成前を意味する。例えば、消費貸借契約による貸金債権について、時効完成前の時効利益の放棄を認めると、債権者が、「時効利益を放棄しないと金を貸してやらないぞ」といって、債務者の窮状に乗じてあらかじめ時効の利益を放棄させるおそれがある。同様の趣旨から、時効期間の延長や完成猶予・更新事由の追加など、時効の完成を困難にする特約は、一般に禁止されている。

2　時効完成後の自認行為

【ケース10】Ａから融資を受けたＢは、融資を受けた金銭の返済期日が到来してもこれを返済せずに、時効期間が経過した。Ａは、Ｂに対して返済を迫ったところ、「もう少し返済を待って欲しい」と言われたので待つことにした。しかし、その後、Ｂが時効を援用した。このようなＢの時効援用を認めることができるだろうか。

消滅時効が完成した後に、債務者が債務を承認したり、ケース10のように、債務の弁済猶予を申し出たり、債務の一部弁済をしたりするような場合には、債務者は時効の完成を知らない場合が多いと考えられる（だからこそ、債務を承認したり、債務の弁済猶予を申し出たりするのである）。つまり、時効利益の放棄はされていないことになる。これらの場合においてもなお、当事者が改めて時効の援用をすることができるかどうかが問題となる。

以上のような、時効完成後に債務者が（時効の完成を知らずに）行った債務の

存在を前提とする行為は、「時効完成後の自認行為」と呼ばれている。判例には、債務者が時効完成後に債務承認をした以上、たとえ時効完成の事実を知らなかったときでも、債務者がその債務について改めて消滅時効を援用するのは信義則に反して許されないとしたものがある（最大判昭和41・4・20民集20巻4号702頁）。時効の完成後に債務者が債務の承認をすることは、時効による債務消滅の主張と相容れない行為であり、相手方においても債務者はもはや時効の援用をしない趣旨であると考えるからである。したがって、その後においては債務者に時効の援用を認めないものと解するのが、信義則に照らして相当である（信義則については、第8章Ⅲを参照）。

Ⅶ　期間──初日不算入の原則

期間の方法については、原則として、初日当日の端数時間は除外して、翌日から起算する（これを「初日不算入の原則」という。140条本文）。例えば、期間の初日を8日とすると、「初日から5日間」という場合には、初日不算入の原則により、翌日の9日から起算することになり、その期間は13日までとなる。

ただし、「来月8日から5日間」のように、当該期間がある日の午前零時から始まる場合には、端数ではなく丸一日（24時間）が確保されている。したがって、初日である8日を算入して、8日から12日までとなる（140条ただし書）。「期間は5日まで」という場合の満了点は、期間の末日の終了時点（5日午後12時）になる（141条。ただし、484条2項により、取引時間の定めがある場合には、債務の弁済または弁済の請求は取引時間内に行われなければならない）。もっとも、期間の末日が祝日や日曜日に当たる場合もあるだろう。そういった日に取引をしない慣習がある場合にかぎり、期間はその翌日をもって満了する（142条）。

月または年で期間を定めた場合はどうだろうか。暦に従って（大の月と小の月などによる日数のずれは問わずに）計算し（143条1項）、最後の月または年の、起算日に当たる日（応当日）の前日に満了する（143条2項本文）。

以上のルールを前提にして、債権の消滅時効について計算してみよう。2022年4月16日までに返済されなければならない貸金債権について、同日までに返済されないままでいると、2022年4月17日の午前零時から時効が進行する。そ

第6章　時効　**177**

して、5年後の4月17日（応当日）の前日、すなわち、2027年4月16日の午後12時に時効が完成することになる。なお、2月を考えてみればわかるように、最後の月に応当日がないこともあるだろう。その場合にはその月の末日に時効が完成する（143条2項ただし書）。

第7章

法人

I　法人総説

1　法人とは

　これまでは、主に物権（所有権など）や債権といった私法上の権利や、債務のような私法上の義務が帰属する主体が自然人（→73頁）である場合を念頭に置いて説明してきた。本章では、自然人以外に私法上の権利義務の帰属主体となる場合として、法人について説明することにしよう。

　法人とは、人の集合や財産の集合という形をとっており、自然人のような人間そのものではないが、法律上、人間として扱われるものをいう。法人制度は、複数の自然人で構成される共同体をあたかも「ひとりの自然人」であるかのように考えて、相手方との間で取引をし、物を所有することができる制度である。

　「法人」という用語を聞くのははじめてでも、法人の典型例である「会社」は、おそらく誰もが知っていることだろう。そして、会社に関連する「代表取締役」「株式会社」「株主総会」といった用語も耳にしたことがあるかもしれない。法人の種類はさまざまで、民法の対象となる法人は、その一部にしかすぎない。本章では、A_1、A_2およびA_3（Aら）が学習塾Pを始めるにあたって、さまざまな法人の設立可能性を検討するストーリーを描きながら、法人制度の全体像を捉えることにしよう。

第7章　法人　179

2　法人制度が認められない場合のデメリット

> 【ケース1】A₁、A₂およびA₃は、地域教育の充実を目指して学習塾を始めることにした。それぞれ資金を出し合い、①教室として利用するために、X所有のビルの一部を賃借りし、②児童の送迎用として、Yからマイクロバスを購入する計画を立てた。

　自然人のほかに、なぜ法人にも権利能力を認める必要があるのだろうか。仮に法人制度が認められておらず、自然人のみが権利能力を有すると考えられていたとしよう。この場合には、Aらは①についてXとの間で賃貸借契約を、②についてYとの間で売買契約を「3人で」締結しなければならない。契約書の作成にあたって、Aらが各自で印鑑を用意して署名捺印し、または記名押印する労力や時間を考えれば、こうした作業は面倒なものとなるだろう（→【図表7-1】）。

【図表7-1】法人制度が認められていない場合の契約締結

賃貸借契約の締結　　　　　売買契約の締結

　また、Yから購入したマイクロバスは、Aらで構成される共同事業のための財産として、Aらの共同所有（共有）となる。土地や建物などの不動産には、その不動産が誰の所有であるかを明らかにするために登記が必要であるが（→NBS物権法第3章Ⅱ1）、マイクロバスのような自動車にも、登記と同じ役割を果たすものとして登録が必要となる。これは、Aらによる共同所有の登録となる。この場合、例えばA₃が重い病気にかかり、引き続きPの運営に関わることができなくなってしまった場合には、共同所有の登録からA₃の名義を削除しなければならない。これもAらにとって大きな負担となる（→【図表7-2】）。

【図表 7-2】法人制度が認められていない場合のマイクロバスの所有

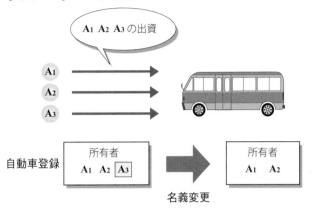

3　法人制度が認められる場合のメリット

> 【ケース2】Aらは、各々の自己資金だけで学習塾を運営するのは難しいと思ったので、A_1の提案に従い、銀行Zから融資を受けることにした。

　仮に法人制度が認められておらず、自然人のみが権利能力を有するのであれば、AらがZとの間で金銭消費貸借契約を締結することになる。この場合にも、AらがZとの契約締結に全員が関わることになるのであれば、Aらにとって非常に面倒な作業となるだろう。

　そこで、Aらは「学習塾P」の名義でZと金銭消費貸借契約を締結したとしよう。そうすると、AらがZとの契約締結に関与する手間が省かれることになる。ケース1の①の場合も②の場合も、Pの名義で、Xとの間で賃貸借契約やYとの間で売買契約を締結できるのであれば、Aらの負担は格段に軽くなることだろう（→【図表7-3】）。

【図表7-3】P名義での契約締結

　次に、生徒がなかなか集まらないために学習塾の運営が思いどおりにいかなくなってしまい、AらがZから融資を受けた金銭を返済できなくなってしまったとしよう。そこで、Zは訴訟などの法的手段に訴え、確定判決などを得てもAらが融資した金銭を返済しない場合には、強制執行の申立てに基づいて、執行機関がAらの財産の処分を禁止する行為である「差押え」という手段をとることができる（→167頁）。こうすることで、Pの財産をAらが勝手に処分できなくなり、財産の散逸を防ぐことができるからである。

　仮に私法上の権利義務の帰属主体が自然人のみであるということになれば、借主の責任として、Aらの個人財産から融資を受けた金銭の返済にあてることを余儀なくされる。Aらにしてみれば、こうしたリスクを引き受けてもなお学習塾を始めるということであれば、それ相応の覚悟が求められることになるだろう。

　そこで、Aらが「学習塾P」の名義でZとの間で金銭消費貸借契約を締結していたのであれば、ZはPの財産を差し押さえることはできても、Aらの個人財産を差し押さえることはできない。したがって、Aらは、出資した分は失ったとしても、それ以上の個人財産を失うリスクを負担することなく、事業に出資したり、参加したりすることができるのである（→【図表7-4】）。

　以上の場合からもわかるように、権利能力が自然人にしか認められないと、法律関係が複雑になるだけでなく、事業自体の継続や拡大も困難になる。そこで、法人にも権利能力を認め、法人が権利義務の帰属主体となることを可能にし、さらに、法人の財産を個々の構成員の財産から分離独立させることで、こうした不都合を解消することができるのである。

　例えば、法人制度が認められると、Pは、その構成員であるAらから独立した権利主体となる。これによりPが契約当事者となり、財産を所有することができる。自動車登録もPを名義とすることができるので、構成員の変動

【図表7-4】Pの財産に対する差押え

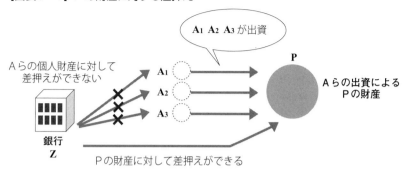

による名義変更の必要もない。さらに、PとAらは互いに独立の権利義務の帰属主体となるから、Aらは、法人の財産に対して直接的な権利をもたず、責任を負うこともない。したがって、Aらの個人財産に影響を及ぼすことはない。このように、私法上の権利義務の帰属主体として法人を認めることで、大きなメリットを享受できるのである。

4　一般法人法の制定

　法人制度については、従来は民法に数多くの条文が定められていたが、平成18年（2006年）に「一般社団法人及び一般財団法人に関する法律」（以下「一般法人法」と略する）が成立し、法人に関する規定の多くがこの法律に定められることになった。この法律は、平成20年12月1日から施行されている。本章では、一般法人法が施行される以前の民法の条文については「改正前民法〇〇条」という形で触れることにしたい。

II　法人法定主義・法人格付与の方法

1　法人法定主義

　民法の基本原則のひとつとして、私的自治の原則がある（→215頁）。そして、この原則を具体化したもののひとつに「団体設立自由の原則」がある。これは、個人が自らの意思に基づいて自由に団体を組織することができ、かつ公権力からの干渉を受けることもないという原則のことをいう。

　団体設立自由の原則によれば、個人の意思に基づいて団体を設立することができる。したがって、Aらが、地域教育の充実を目指して学習塾を始めるために団体を設立することは可能である。しかし、この原則は設立された団体が「法人格」を有することまでを保障するものではない。

　法人格とは「法律上、人間として扱われる資格」をいう。ある団体に「法人格を与える」とは、その団体に私法上の権利義務の帰属主体としての資格を付与することを意味する。ただし、民法は、そのような資格の付与について「法人は、この法律その他の法律の規定によらなければ、成立しない」と定める（33条1項）。この規定は、ある団体に法人格を与えるかどうかは国家の決定に委ねられていることを示している。これを「法人法定主義」という。

2　法人格付与の方法

> 【ケース3】A$_2$が、「大手受験予備校のように、Pを学校法人にすることはできないだろうか」と言うので、Aらはその可能性を検討することになった。

　ある団体に対して、どのような方法で法人格を与えることができるのだろうか。具体的には、まず、大別して認可や認証といった、官庁の行為を要するか否かによって分かれる。

　前者の例としては、学校法人や医療法人が、官庁の認可によって法人として設立される（私立学校法30条1項、医療法44条1項）。特定非営利活動法人（以下

「NPO法人」と略する）は、設立に関する書類に官庁の認証を受けることで法人として設立することができる（特定非営利活動促進法10条1項→190頁【コラム】NPO法人）。後者の例としては、ある一定の要件を満たせば、設立の申請や行政庁による審査・確認を必要とすることなく、つまり認可などの官庁の行為がなくても法人として認められることがある。例えば、株式会社は本店の所在地で設立の登記をすれば成立する（会社49条）。一般社団法人も、主たる事務所の所在地で設立の登記をすれば成立する（一般法人法22条）。

以上のことから、学校法人として設立するには官庁の認可を要するので、その準備に多大な労力をかけなければならない。Aらは、学校法人よりも株式会社や一般社団法人の設立を検討する方が賢明であるといえるだろう（→【図表7-5】）。

【図表7-5】官庁の認可の要不要による法人の分類

> 法人の設立について
>
> 法人の設立について、国がどの程度まで法人の設立に干渉するかによって、いくつかの考え方がある。以下では、法人の設立について、国による干渉が大きいと思われる順に紹介する。
>
> ①ひとつの法人を認めるのに特別の法律を作る「特許主義」。例えば、日本銀行などは、この考え方によって設立されている（日本銀行法1条）。
>
> ②監督する主務官庁が、その自由裁量で設立を認める「許可主義」。例えば、明治29年（1896年）に公布されたわが国の民法典（明治29年民法）における法人に関する考え方が、このような考え方に則っている（改正前民法43条）。
>
> ③法律があらかじめ定める要件をすべて満たすと、主務官庁が必ず設立を認める「認可主義」。例えば、私立学校の設立は、これに属する（私立学校法30条、31条）。
>
> ④法律の定める一定の組織が整えば、法人設立の登記をすることによって、官庁の事前審査なしにすべて認められる「準則主義」。例えば、商法の特別法

第7章　法人　185

である会社法上の各種の会社などがこれに当たる。さらに、一般法人法に定める「一般社団法人」および「一般財団法人」については、準則主義を採用したことになる。

Ⅲ　法人の種類

1　公法人・私法人

　公法人とは、国家の意思のもと、法律に定められた特定の目的を担うための行政主体として設立された法人のことをいう。地方公共団体、健康保険組合といった各種の公共組合、公団・公庫・事業団などの特殊法人が、公法人に当たる。一方、私法人とは、私的生活関係における権利義務の帰属主体となることを国家によって承認された法人のことをいう。Ａらの学習塾Ｐは後者に該当する。

2　営利法人・非営利法人

　【ケース4】A₃が、「地域教育の充実という理念に賛同していたが、やはり将来のことも考えて営利目的で始めてはどうだろうか。出資者を募って株式会社にするという方法でもよいかもしれない」と言うので、Ａらはその可能性を検討することにした。

　営利法人とは、対外的な活動を通じて取得した利益を、剰余金を分配するなどの方法で構成員に分配することを目的とした法人をいう。利益をあげることだけで完結するものではないので、「営利」が単なるお金儲けを意味するわけではない。このような営利目的の法人のことを「営利法人」という。営利法人のうち、株式会社などには会社法が適用される。
　営利を目的としない法人を「非営利法人」という。Ａらが、営利を目的として法人を設立するか、Ｐを設立した最初の基本理念に従って地域教育の充実

を重視して非営利法人を設立するかによって、適用される法律も異なることになる（→【図表7-6】）。

【図表7-6】剰余金の分配の有無による法人の分類

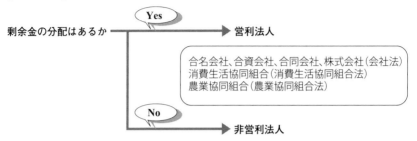

3 公益法人

公益法人とは、非営利法人のうち、学術・技芸・慈善その他の公益目的事業を行う法人であって、行政庁により公益認定を受けたものをいう。公益法人については、「公益社団法人及び公益財団法人の認定等に関する法律」（以下「公益法人認定法」と略する）に定められている（公益法人認定法2条、4条）。公益社団法人や公益財団法人のほかに、学校法人や社会福祉法人などが公益法人に当たる。なお、公益認定を受けない非営利法人としては、一般社団法人や一般財団法人のほかに、医療法人などを考えることができる（→【図表7-7】）。

【図表7-7】公益法人

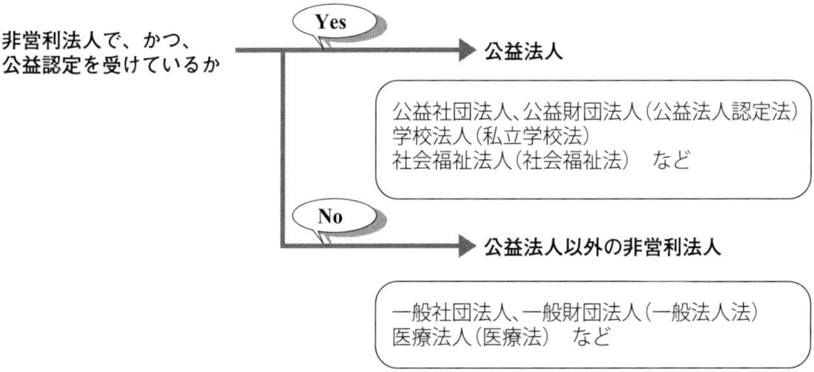

第7章 法人

4　社団法人・財団法人

　法人は、一定の目的の下に集まった「人の組織体」としての社団法人と、一定の目的のために提供された「財産の集合体」としての財団法人からなる。

　社団法人とは、人の集団に対して法人格が与えられたものをいう。社団法人となるには構成員としての「社員」の存在が不可欠である。ここでいう「社員」とは、従業員や労働者の意味ではない。社員総会によって団体の最高意思を決定し、その決定に基づいて、団体の管理や運営が行われることになる。

　財団法人とは、財産の集団に対して法人格が与えられたものをいう。「財産の集合体」を法人と考えることについて不思議に思うかもしれない。しかしながら、例えば、奨学金の貸与などを行う「○○奨学財団」という名称を聞いたことがないだろうか。財団法人では、社員や社員総会を欠き、法人設立行為に示された「設立者」の意思に基づいて、財団財産が管理、運営されることになる。もちろん、財団法人にも理事・監事がいる。しかし、こうした者たちも設立者の意思に拘束される。あくまで、彼らはその範囲内で活動を行うにすぎないのである。

Ⅳ　法人の設立

1　一般社団法人と一般財団法人

　一般的な非営利法人として、社団形態の法人と財団形態の法人がそれぞれ認められている。前者を「一般社団法人」、後者を「一般財団法人」という。これらの法人は、登記のみによって、法人格を取得することができる。

(1)　一般社団法人

> 【ケース5】Ａらは、Ｐを株式会社ではなく、一般社団法人として設立することに決めた。そこで、Ｐに関する基本ルールとして「定款」を作成することになった。

一般社団法人では、社員になろうとする者 2 名以上が共同して、法人の根本原則である定款を作成しなければならない（一般法人法10条 1 項）。定款には、法人の目的や名称、主たる事務所の所在地などが記載される（一般法人法11条 1 項。定款については→本章 V 1 ）。

(2) 一般財団法人

一般財団法人では、財団の設立者は定款を作成し、かつ設立時に300万円以上の財産を拠出しなければならない（一般法人法152条 1 項、157条本文）。なお、一般社団法人の場合も、一般財団法人の場合も、定款は、公証人の認証を受けなければ、その効力を生じない（一般法人法13条、155条）。

2 公益社団法人と公益財団法人

【ケース 6 】A らは、税制上の優遇措置を受けることができるかもしれないと思い、「公益社団法人」の認定を受けることができるかどうかを検討することにした。

一般社団法人と一般財団法人のうち、公益目的事業を行うことを主たる目的としているものは、内閣総理大臣または都道府県知事に申請して、「公益社団法人」または「公益財団法人」の認定を受けることができる（公益法人認定法 4 条）。認定を受けた法人は、税制上の優遇措置を受けることが可能となっている（公益法人認定法58条）。

もっとも、こうしたメリットを享受できる一方で、公益社団法人および公益財団法人は、公益性の要件を遵守することを確保するため、内閣総理大臣または都道府県知事の監督を受けなければならない（公益法人認定法27条、28条参照）。また、所定の事由に該当する場合には、公益認定を取り消されることがある（公益法人認定法29条）。

以上を前提にして、法人制度のしくみを次のようにまとめることができる（→【図表 7 - 8 】）。

第 7 章 法人 **189**

【図表7-8】法人制度のしくみ

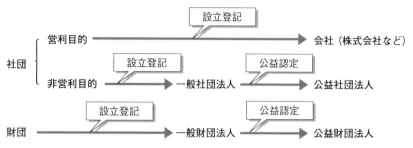

> **NPO法人**
> 　ボランティア活動をはじめとする市民の自由な社会貢献活動を促進することを目的として、平成10年（1998年）に特定非営利活動促進法（「NPO法」ともいう）が成立した。この法律には、特定非営利活動として、保健・医療・福祉の増進、まちづくりの推進、学術・文化・芸術・スポーツの振興、環境保全、地域安全運動、人権擁護・平和の推進、国際協力活動、男女共同参画社会の形成促進などが定められている。これらに該当する活動を行うNPOに対して、より簡単に法人格を取得できる道が開かれている。

3　団体としての実態と法人格の付与

(1) 団体としての実態を備えていない法人

　国家は、すべての集団に対して法人格を認めているわけではない。国家が法人格を与えるのに適していると考える団体について、一定の手続を通じて法人格を与えている。

　しかし、一定の手続を経て法人格が付与されているにもかかわらず、社会的に団体としての実態を備えていないものも存在する。これに該当するのは、例えば「休眠法人」と呼ばれるものである。休眠法人の場合、ある団体に対して法人格が付与されていても、実際には法律の適用を回避するために存在し、または、既に法人格が形骸化していて、構成員の一人が個人事業を行っているの

が実態となっている。

　このとき、いったん法人格を与えるとの判断をした以上、（解散や清算の手続を経ることなしには）法人としての存在そのものを否定してしまうことはできない。しかし、法人としての形式にこだわらずに、法人とその構成員や設立者とを峻別しない方向で処理をするのが望ましい。いわゆる「法人格否認の法理」は、まさにこうした場合を念頭に置いている。

　例えば、Aが代表者を務めるB会社が不動産を賃借していたところ、賃料不払をめぐる紛争が生じたとしよう。賃貸人Cは、Bが実質的にはAの個人企業であったことから、会社と代表者個人とを間違えてAと和解契約を締結してしまった。このとき、Bが、その和解契約がAと締結したものであるからその効力はBに及ばないと主張したとしても、判例は、このような主張を認めていない（最判昭和44・2・27民集23巻2号511頁）。

(2) 法人格のない社団・法人格のない財団

　社会的には団体としての実態を有しているものの、国家が法人格を与えるにふさわしいと考える類型には当たらないため、法人格が与えられていない団体が存在する。

　例えば、自治体や同窓会などのように、団体としての実態を有していながら法人格を有していない団体がある。この場合には、①法人の枠組みに該当しないために、そもそも法人格取得ができないものと、②法人の枠組みに該当するために法人格取得の可能性があるけれども、何らかの理由で法人格の取得をしていないものがある。

　このような団体に対しては、法人格を取得していないのだから、私法上の権利義務の帰属主体として認めることはできない。しかし、団体としての社会的な実態が存在する点を考慮し、法人に対するのと同様の処理が可能であれば、それが実態に即していると評価することができる。そこで、法人格を有しない団体ではあるが、団体としての社会的な実態を有するものについて、法人にできるだけ近い処理をするために考案されたのが「法人格のない社団」および「法人格のない財団」（「権利能力なき社団」および「権利能力なき財団」ともいう）の法理である。

第7章　法人　191

法人格のない社団であるためには、次の4つの要件を満たさなければならない（最判昭和39・10・15民集18巻8号1671頁）。

---

①団体としての組織を備えていること
②多数決の原則が行われていること
③構成員の変更にもかかわらず、団体そのものが存続すること
④代表の方法、総会の運営、財産の管理その他団体としての主要な点が確定していること

　法人格のない社団の場合には、社団の財産はどのように扱われることになるのだろうか。

　まず、個人の財産とは別に扱われることが重要である。社団の財産は、全構成員の共同所有となるのであり、法人格のない社団の所有となるのではない。法人格のない社団は法人ではなく、私法上の権利義務の帰属主体となることはできないからである。

　ここでの共同所有とは「総有」といわれる特殊な所有形態を意味する。総有とは、共同所有者各自の持分（共有持分）を観念することができない共同所有の形態と考えられている（最判昭和32・11・14民集11巻12号1943頁）。したがって、構成員による自己の持分の処分や、構成員の個人債権者による構成員の持分への差押えなどを観念することができない。

　取引の相手方に対して社団が有する債権は、全構成員に総有的に帰属する。取引の相手方に対して団体が負担することとなった債務は、全構成員に総有的に帰属する。そして、その債務については、社団財産だけが引当てとなるのであり、構成員個人は取引の相手方に対して個人的には債務も責任も負担しない。判例には、取引の相手方が構成員の個人財産に執行することができないとしたものがある（最判昭和48・10・9民集27巻9号1129頁）。

　社団の財産の中に不動産が存在するとき、この不動産については、社団名義では登記できない。「A団体　代表者B」といった肩書つきの登記も認められない。登記官に申請内容についての実質的な審査権限がないため、その社団が上記要件を満たしているかどうか判断することができないからである。したが

って、その不動産の登記名義は、誰かの個人所有の形で行われなければならない。

(3) 組合と法人との違い

667条以下に組合契約に関する規定がある。667条に定める組合契約によって成立する組合は、労働組合や生活協同組合などの特別法上の組合と区別するために「民法上の組合」と呼ばれることが多い。そこで、ここでも「民法上の組合」と呼ぶことにしよう。

民法上の組合として、例えば、投資ファンドのために投資家によって組合が設立される場合、建設工事を目的とした共同企業体（ジョイント・ベンチャー）が形成される場合、および弁護士がパートナーを組んで弁護士事務所が共同経営される場合を考えることができる。民法上の組合も人の組織体のひとつである。そこで、法人、特に社団法人とは、どのような点で異なるのだろうか（→【図表7-9】）。

【図表7-9】民法上の組合と社団法人

	民法上の組合	社団法人
構成員の変動	全員の承認が必要	原則として自由
意思決定方法	原則として全員一致	頭数による多数決
業務執行・対外代表	原則として全員	代表者

民法上の組合と社団法人との違いは、特に①団体としての継続性と、②団体の組織化の程度の2点にある。

まず、①について、民法上の組合では、構成員（組合員）同士の信頼が基本にあり、構成員の加入・交替には全員の承認を必要とするのが原則となっている。例えば、「組合員の除名は、正当な事由がある場合に限り、他の組合員の一致によってすることができる」（680条本文）。これに対して、一般社団法人では、例えば、構成員（社員）の加入については、定款の定めによって認められ

ている（一般法人法11条1項5号）。これにより、柔軟な構成員の変動が可能となり、団体としての継続性もより強固なものとなっている。

次に、②について、民法上の組合では、原則として、意思決定者や業務執行者、外部に対する代表者は全員である。これに対して、社団法人では、意思決定の段階で、社員総会といった意思決定機関を設けて、多数決による決定が可能となっている。また、業務執行や対外代表の段階では、理事といった代表者を選び、その人が全面的に諸々の業務を行うことになる。民法上の組合と比べて、団体として柔軟に機能することがわかるだろう。

V　法人の組織

1　法人の根本規則

(1)　定款

法人の根本規則は「定款」と呼ばれている。平成18年（2006年）の民法改正前では、社団法人の根本規則は同じく「定款」と呼ばれていたが（改正前民法37条）、財団法人では、①財産を提供する設立行為のことも、②根本規則を定める書面のことも「寄附行為」と呼ばれていた。しかし、一般法人法では、どちらも「定款」と称することとし、改正前民法の規定はそれぞれ削除されたので、「寄附行為」という表現を、法律上、根本規則の意味で使うことはなくなっている。多くの私立大学では、学校法人の根本規則は「寄附行為」とされているが、これは平成18年（2006年）の民法改正前の名残である。

(2)　根本規則の変更

社団法人は、構成員である社員の総意で活動するものである。したがって、構成員の意思によって定款を変更することもできる（一般法人法146条）。一般財団法人も、一部の例外を除いて、評議員会の決議によって定款の変更ができる（一般法人法200条1項）。

2 法人設立の登記

仮に「法人設立には登記を成立要件とする」という規定であるとすると、主務官庁の認可の有無には関係なく、登記しなければ法人は成立しないことになる。

この点について、一般法人法では、一般社団法人も、一般財団法人も、主務官庁の認可という要件をなくした上で、その主たる事務所の所在地において、設立の登記をすることによって成立すると定め（一般法人法22条、163条）、登記を成立要件とした。一般社団法人と一般財団法人の設立自体は、登記だけで簡単にできる準則主義（→185頁）を採用し、その上で、公益法人となるためには、さらに別の厳格な規定が必要となっている。

3 法人の権利能力および法人格の内容

法人は、法令の規定に従い、定款その他の基本約款で定められた目的の範囲内において、権利を有し、義務を負う（34条）。法人の権利能力は、法が与えるものであるから、私人（構成員や設立者）が、強行規定と異なる定めを定款などに置いたとしても、強行規定が優先することになる。例えば、消費者契約法には、経済的弱者を保護するために強行規定が設けられているが（→第3章Ⅰ1）、法人の活動によって消費者の利益を一方的に害することを認める定めを定款に設けていたとしても、そのような定款中の規定は無効である。与えられた権利能力は、定款などによって定まった目的の範囲内に制限される。

法人の法人格の主な内容として次の2点を挙げることができる。

---

①法人の名において、権利を取得し、義務を負うことができる（権利能力）。
②法人の名において、民事訴訟の当事者となることができる（当事者能力）。

これらは、すべての種類の法人に備わっているものである。さらに、次の4つの特徴を挙げることができる。

第7章 法人 195

③法人の財産は、法人の債権者に対する責任財産（債務の引当てとなる財産）とされている。

④法人に対する債務名義（例えば、確定判決）によってのみ、法人の財産に対して強制執行できる。

⑤構成員の個人財産は、法人の債権者に対する責任財産とならない（構成員の有限責任）。

⑥法人財産の充実・維持のために法的規制が加えられている（資本充実・維持の原則など）。

　以上の内容のすべてを完全に備えているのは、株式会社のみである。例えば、合名会社では、構成員（社員）の有限責任が認められていない（会社580条1項参照）。また、一般社団法人では、構成員（社員）の有限責任は認められているが（有限責任を直接定めた条文はないが、一般社団法人が法人であることから当然のこととされている）、法人財産の充実・維持の原則はとられていない。

　一般社団法人は非営利目的のものであることから、社員に対する利益配当などの剰余金の配当は禁じられている（一般法人法11条2項、35条3項）。

4　法人の機関

　人の組織体や財産の集合体を自然人と同様に理解することができるとはいっても、法人が自ら行動することはできないので、運営組織を必要とする。それが法人の機関である。社団法人の場合、一般法人法に細かい規定が置かれている（一般法人法35条から118条まで）。ここでは、そのすべてを説明することはしない。また、株式会社について詳細は会社法を勉強する中で確認して欲しい。以下では、株式会社と比較する形で、一般社団法人の機関の概要を示すことにしよう。

(1) 意思決定機関

> 【ケース7】一般社団法人として学習塾をスタートすることにしたAら
> は、Pに関わる事項を協議し、決定するために会合を開くことになった。

　一般社団法人では、意思決定機関として「社員総会」を必ず置かなければな
らない（一般法人法60条1項）。一般社団法人と株式会社の意思決定機関などは、
次のように整理することができる（→【図表7-10】）。

【図表7-10】一般社団法人と株式会社の意思決定機関

	一般社団法人	株式会社
意思決定機関	社員総会*1	株主総会*1
総会の構成員*2	社員	株主
総会での意思決定	決議によってなされる*3	同左
総会での決議方法	社員による多数決*4*6	株主による多数決*5*6

＊1：総会（社員総会／株主総会）は、法人に関わる事項を決めるために、事業年度ごとに1回以上、
　　　開催される（一般法人法36条／会社296条）。
＊2：一般財団法人の場合、構成員は存在しない。しかし、一般財団法人は、重要事項に関する諮問
　　　機関として「評議員」を置かなければならない。また、すべての評議員で組織された「評議員
　　　会」も置かなければならないとされている（一般法人法170条1項、178条1項）。このほかに
　　　も、一般財団法人の場合には、理事、理事会、監事を置かなければならない（一般法人法170条
　　　1項）。
＊3：決議事項は、原則として、法人に関する一切の事項となっている（一般法人法35条1項／会社
　　　295条1項）。
＊4：一般社団法人の社員は各1個の議決権を有するのが原則であるが、定款で別段の定めをするこ
　　　とはできる（一般法人法48条1項）。ただし、公益社団法人の場合には、公益目的に照らして、
　　　不当に差別的な取扱いをしてはならない（公益法人認定法5条14号）。
＊5：株主は、株主総会において、株式1株につき1個の議決権を有するのが原則となっている（会
　　　社308条）。したがって、株式会社では、多額の出資をして多数の株式を保有する者の発言力が
　　　大きくなることから、資本による多数決が行われることになる。
＊6：多数決は議決権の過半数によるのが原則であるが、定款の変更など、特に重要な基礎的事項に
　　　ついては、議決権の3分の2以上に当たる多数が必要となる（一般法人法49条／会社309条）。

株主総会開催の報道がなぜ毎年6月に集中するのか

　毎年6月になると、ある会社で株主総会が開催されたとの報道をテレビなど で目にすることはないだろうか。日本では、多くの会社が4月1日から翌年3 月31日までを事業年度と定めている。株主は日々変動するので、ある時点を 「基準日」として株主を固定し、その時点での株主に議決権の行使を認めるこ とにしなければならない。そこで、3月31日の株主名簿上の株主に対して当該 事業年度に関する定時株主総会での議決権の行使を認めている。このとき、基 準日は3月31日となる。そして、株主総会が6月末までに開催することが多い のは、会社法によって基準日の効力が3か月以内とされているからである（会 社124条参照）。

(2)　業務執行機関

【ケース8】Aらは、これまで全員が集まってPに関わる事項について協 議してきたが、すべての事項を決めるためにそれぞれの予定を合わせて集 まるのが難しくなってきた。そこで、A_1を代表者としてPの日常業務に 関わる活動を委ねることにした。

　一般社団法人の場合には、業務執行機関として理事も置かなければならない （一般法人法60条1項）。したがって、理事や代表理事といった代表者を選んで、 彼らに法人の活動全般を委ねることになる。

　一般社団法人の代表者には、包括的な業務執行権限が認められている（一般 法人法76条1項、91条1項）。また、法人の業務を執行するときに、第三者、す なわち法人以外の者と契約をすることが必要であれば、法人のために（法人の 名で）契約をする権限も認められている。これを「代表権」という（一般法人法 77条4項参照）。つまり、代表者には包括的な業務執行権限と、取引の際の代理 人としての資格（代表権）がある。

　なお、理事には包括的な代理権が認められている。個別の事項について代理

権を与える通常の代理の場合とは異なる（→110頁）。また、日常的な事柄については、その都度総会（または理事会があればそれら）を開いて決めるわけにはいかないため、代表者が意思決定をすることができる。

理事会の設置は任意である（一般法人法60条2項参照）。ただし、理事会を置く場合には、これを監督する機関として、監事は必ず置かなければならない（一般法人法61条）。

一般社団法人に、定款の定めにより理事会が設置された場合（一般法人法60条2項）には、理事会はすべての理事で組織され、理事の中から代表理事が選定される（一般法人法90条1項、3項）。すなわち、代表理事が業務を執行し、法人を代表することになる（一般法人法91条1号、77条1項ただし書）。このとき、理事会で選定された業務執行理事（一般法人法91条2号）を除き、他の理事に業務執行権限はなく、また、代表権もないことに注意が必要である。

理事会は、業務執行の決定、理事の職務の監督および代表理事の選定・解職を行う（一般法人法90条2項）。業務執行の決定などの通常の意思決定は理事会が行うから、理事会設置一般社団法人の社員総会は、一切の事項ではなく、法律および定款で定められた重要な基本的事項についてのみ決議することができる（一般法人法35条2項）。

代表者が2人以上いる場合には、業務執行は代表者（理事／取締役）の過半数をもって決定するのが原則となっている（一般法人法76条2項／会社348条2項）。これに対して、理事会設置一般社団法人／取締役会設置会社では、理事会／取締役会での決議で意思決定される（一般法人法90条2項1号／会社362条2項1号、369条）。取引の際には、各自が法人を代表し（単独代表の原則）、全員が共同して代表（共同代表）する必要はない（一般法人法77条2項／会社349条2項）（→【図表7-11】）。

また、理事は、法人に対して各種の義務を負い、それらの義務に違反した場合には、法人に対して責任を負わされる。理事は、法人から委任を受けて事務を行うので、民法の委任契約における受任者と同じように、次のような義務を負う。

第7章　法人 **199**

【図表7-11】 一般社団法人と株式会社の業務執行機関

	一般社団法人	株式会社
業務執行機関	理事・代表理事	取締役・代表取締役
業務執行に関する意思決定	社員総会または理事会*1	株主総会または取締役会*1

＊1：理事会または取締役会は、（一般社団法人の場合）理事・代表理事、（株式会社の場合）取締役・代表取締役といった構成がとられた場合（理事会設置一般社団法人／取締役会設置会社）に限られる。この場合、社員総会や株主総会は、法律や定款が定める事項のみを決議することになる。

---

①善良な管理者としての注意義務（自己の財産を管理する者の義務よりも高度な、他人の財産を管理する者としての注意義務。「善管注意義務」と略される。644条）

②自己執行義務（信頼関係で委任を受けた以上、人に下請けをさせず自分自身で執務する義務。改正前民法55条）

③忠実義務（代理人がもっぱら本人の利益のために行動するように、法人に対して忠実に事務を行う義務。一般法人法83条／会社355条）

---

(3)　監督機関

　理事の職務の執行を監査するものとして、監事がある（一般法人法99条）。これは、代表理事に業務執行・代表権限が集中しているためである。また、会計監査人は、計算書類（貸借対照表、損益計算書）などの監査を行う（一般法人法107条）。

　監事または会計監査人は、定款の定めによって、設置することができる（一般法人法60条2項）。ただし、大規模一般社団法人（負債額200億円以上。一般法人法2条2号）は会計監査人を置かなければならない（一般法人法62条、61条参照）。大規模一般財団法人（負債額200億円以上。一般法人法2条3号）の場合も、会計

監査人を置かなければならない（一般法人法171条）。

> **株式会社の場合の業務執行機関**
>
> 　株式会社の中で、取締役会設置会社の株主総会は、一切の事項について決議するのではなく、効率を考えて、重要で基本的な意思決定のみ、つまり、法律・定款が定める事項だけを決議する（会社295条2項）。取締役が株主総会で選任され（会社329条1項）、取締役からなる取締役会が構成され、取締役会は会社の業務執行の決定をすることになる（会社362条）。取締役会により取締役の中から選定された代表取締役（世間では、「社長」「会長」「頭取」などという）は業務を執行し、会社を代表することになる（会社363条、349条）。取締役の職務執行を監査するのは、監査役である（会社381条）。なお、大会社かつ公開会社（会社2条6号、5号）は、監査役会（会社390条）および会計監査人（会社396条）を置かなければならない（会社328条1項）。

VI　法人の能力

1　法人の権利能力への一定の制限

　法人は、人の組織体または財産の集合体であり、国によって私法上の権利や義務の帰属主体としての地位が与えられたものである。これにより、自然人の場合と同様に、団体に法人格が与えられることによって、その団体が権利能力を有することになる。

　もっとも、法人に権利能力があるといっても、自然人とは異なり、法人それ自体の特殊性として、法人に特有の制限が権利能力に加えられることがある。具体的には、①性質上当然の制限（法人が相続人となることはできない、など）と、②法令の規定による制限（法人が一般社団法人の役員になることはできない（一般法人法65条1項1号）など）である。さらに、③法人の活動は、法人の定款その他の基本約款に書かれた「目的」によっても制限を受けることがある（34条）。

2 目的による制限の意味

法人の能力についての「目的」による制限は、権利能力の制限と考えることができる。判例は、目的の範囲外の行為について法人が権利および義務の帰属点とならないと考え、目的の範囲外の法律行為を「無効」としている（最大判昭和45・6・24民集24巻6号625頁〔八幡製鉄政治献金事件〕）。ただし、判例は、目的の範囲を拡張したり（会社の場合）、目的の範囲を緩やかに解釈したりすることで（公益法人・非営利法人の場合）、柔軟な解釈を行っている。具体的には、①会社であれば、目的の範囲内の行為は定款に明示された目的自体に限定されず、その目的を遂行する上で直接または間接に必要な行為であればすべて目的の範囲に含まれる。客観的にみて、会社の社会的役割を果たすためにされたものと認められるものは、すべて定款所定の目的の範囲内の行為とされている（前掲最大判昭和45・6・24は、政治献金であっても目的の範囲内の行為だとする）。

これに対して、②公益法人については、その目的を会社のように広範なものと捉えるのであれば、公益法人としての目的の達成を妨げることになる。そこで、判例は、公益法人の活動、さらには非営利法人の活動について、それが法人の基金の維持、総構成員の利益、法人の事業目的にとってプラスになるか否かを基準に、目的の範囲内の行為かどうかを判断している（最判昭和33・9・18民集12巻13号2027頁〔農業協同組合〕、最判昭和45・7・2民集24巻7号731頁〔信用協同組合〕、最判平成8・3・19民集50巻3号615頁〔税理士会〕など）。

3 法人の不法行為

法人については、自然人のように、権利能力や行為能力を認めているので、不法行為（故意または過失により他人の権利または法律上保護される利益を侵害して損害を与える行為（709条））をする能力というものも想定される。改正前民法44条1項は、法人の理事その他の代理人（代理機関）が不法行為をしたときに法人が損害賠償責任を負うことを定めていた。この規定と同様の規定が一般法人法などに置かれている（一般法人法78条、197条など／会社350条、600条）。具体的には、代表者が「その職務を行うについて」他人に損害を与えたならば、法人はその損害を賠償しなければならない。

なお、法人の目的の範囲外の行為によって、他人に損害を与えたという場合には（本来、法人は目的の範囲でしか権利義務を有しないのであるから）、その事項の議決に賛成した社員、理事、およびその履行行為をした理事その他の代理人が連帯してその賠償の責任を負うことになる（改正前民法44条2項。現在、この条文は削除されているが、不法行為についての考え方は変わってはいない）。

VII　法人の解散および清算

1　法人の解散

> 【ケース9】Ａらは、少子化のあおりを受けて学生が集まらず、Ｐの運営を継続することが困難な状況に陥ってしまった。そこで、ＡらはＰの運営をやむを得ず断念することにした。

　法人は、自然人のように死亡という事象によって消滅することはない。そこで、どのような場合に法人が消滅することになるのかについて、あらかじめ決めておく必要がある。これを「解散」という。一般社団法人および一般財団法人は、次のような事由によって解散すると解されている（一般法人法148条、202条。なお、解散した場合には、その旨の登記が必要となる）。

(1)　一般社団法人および一般財団法人に共通する解散事由

①定款で定めた存続期間の満了
②定款で定めた解散の事由の発生
③合併
④破産手続開始の決定
⑤解散を命ずる裁判

　①および②は、定款でこれらの事象を定めていれば、解散事由となる。ま

た、④のように、破産手続開始の決定も解散事由となる。

③の「合併」とは、2つ以上の法人の一部または全部が解散するが、清算手続を経ることなく存続法人または新設法人に承継されることをいう。1つの法人が消滅する法人を吸収するタイプ（吸収合併）と、すべて消滅させて新しい法人を設立するタイプ（新設合併）とがある（一般法人法2条5号、6号）。⑤の「解散を命ずる裁判」とは、不法な目的に基づいて法人が設立されたときや正当な理由がないのに事業を休止したときなどに、法務大臣や法人の社員、評議員、債権者その他の利害関係人の申立てによって裁判所が命ずる解散命令（一般法人法261条）、または、法人の業務執行が著しく困難な状況になったときなどに、社員または評議員が訴えによってする解散請求（一般法人法268条）をいう。

以上のほかに、休眠法人は、一定の手続を経た上で解散したものとみなされることがある。これを「みなし解散」という（一般法人法149条、203条）。休眠法人とは、法人としての活動の実態を喪失しているにもかかわらず、登記などの上では存続しているものであり（→190頁）、これを整理して、悪用されることを防止しようとするものである。

(2) 一般社団法人に特有の解散事由

①社員総会の決議
②社員が欠けたこと

①の社員総会における決議は、総社員の2分の1以上で、かつ議決権の3分の2以上（それ以上の割合を定款で定めた場合にはその割合）の多数による決議（特別決議）によらなければならない（一般法人法49条2項6号）。②の「社員が欠けたこと」とは、社員が一人もいなくなったことをいう。

(3) 一般財団法人に特有の解散事由

①目的事業の成功の不能
②純資産額の減少

①の「目的事業の成功の不能」とは、基本財産の滅失その他の事由により目的事業の成功が不能となった場合をいう（一般法人法202条1項3号）。②の「純資産額の減少」とは、貸借対照表上の純資産額が2期連続で300万円未満となった場合である（一般法人法202条2項）。

2　法人の清算

上述のように、法人の場合、死亡というものを観念できないから、「相続」という事態もまた生じることはない。そこで、債権の取立て、債務の弁済、残余財産の処理などについての清算を、法人自身が行わなければならない。

法人が解散したときは、清算をしなければならない（一般法人法206条1号）。ただし、破産手続開始の決定によって解散した場合は、破産法に従い、破産管財人が財産整理を行う。それ以外の場合には、法人は清算の目的の範囲内で清算が結了するまでなお存続するものとみなされる（一般法人法207条）。これを「清算法人」という。

清算の目的の範囲については、清算に必要な行為か否かで個別に判断するほかない。清算法人には清算人を置かなければならず（一般法人法208条1項）、清算人は、①現務の結了（解散前に締結された契約の履行など）、②債権の取立ておよび債務の弁済、③残余財産の引渡しを職務とし（一般法人法212条）、そのために清算法人の内部的な業務を執行し（一般法人法213条）、対外的に清算法人を代表する（一般法人法214条）。

残余財産がある場合、その帰属については法人自身の決定が尊重されており、以下の順序で決める（一般法人法239条）。①定款の定めがあるときはそれによる。②それによって定まらないときは、清算法人の社員総会または評議員会の決議による。③それでも定まらないときは国庫に帰属する。

なお、公益法人については制限がある。公益認定を受けるためには、残余財産を類似の目的を有する他の公益法人または国・地方自治体などに帰属させることを定款で定めていなければならない（公益法人認定法5条18号）。

第7章　法人　　205

第8章

私権の行使に対する制限

I 私権とは

　これまでの説明によって、民法のさまざまな制度を通じて、私法上の権利や義務に基づく法律関係が形成されていることが明らかとなった。場合によっては、そうした権利が条文に定められていることから、「法によって自分たちの権利は常に守られていて、これをいつでも自由に行使できる」と感じるかもしれない。しかし、法律に定められた権利を誰もが常に自由に行使できるとは限らない。

　例えば、AがBとの間で金銭消費貸借契約を締結し、1000万円を借りていたとしよう。Aは、返済期日に元本1000万円と利息をあわせた金額をBのもとに持参したところ、利息の計算ミスにより、ごくわずかの不足があった。Bは金額が足りないと言って、Aが持参した返済金の受取りを拒絶した。金銭債務の不履行が生じる場合、債務者は、損害賠償として金銭債務の額に対し、一定の比率で遅延の期間に比例した金銭を支払わなければならない。この金銭を「遅延利息」という（419条1項。「遅延損害金」ともいう）。では、この事案でBはAの返済金の受取りを拒絶し、Aに対し、元本1000万円および利息について遅延利息分の損害賠償を請求することができるだろうか。たしかに、一部の支払は約束通りの債務の履行ではないので形式的にはAの債務不履行である。しかし、Bがごくわずかの不足をとがめ立てて、元本1000万円および利息についての遅延利息を請求するのは、実質的に見て妥当とはいえないのではないだろうか。あるいは、Cは、隣に住むDとの境界線を超えて2センチほどDの

第8章　私権の行使に対する制限　**207**

土地にまたがって建物が建っていたとしよう。このとき、そうした建物がDの土地の所有権の侵害に当たるとして、DのCに対する妨害排除請求権（→ NBS物権法15頁）を認めることができるだろうか。いずれの場合においても、法律上、BやDの権利行使に対して一定の制約が課されることがある。

　私法上の権利は「私権」ともいう。私権は、権利が対象とする利益や権利の作用によって分類することができる。権利が対象とする利益によって分類すると、①物権や債権、知的財産権（著作権、特許権、商標権など無形の財産的利益を目的とする権利）のような財産的利益を対象とする「財産権」、②生命、身体、自由、名誉、プライバシーのような人格的利益を対象とする「人格権」、③親子、夫婦、親族のような身分上の地位に基づいて得られる利益を対象とする「身分権」および④社団法人の社員の権利のような、社員がその地位に基づいて社団に対して有する包括的な利益を対象とする「社員権」がある。

　また、権利の作用によって分類すると、①物権や知的財産権のように、一定の客体を直接的に支配して、利益を享受することができるという作用を内容とする「支配権」、②債権のように、一定の人に対して、一定の行為をすることや一定の行為をしないことを求めることができるという作用を内容とする「請求権」、③取消権や解除権のように、権利者の一方的な行為によって法律関係を確定させることができる「形成権」、および、④同時履行の抗弁権（533条）のように、他人の権利の行使を阻止することができる「抗弁権」に分類することができる。

　わが国の民法典では、「私権」という文言が4か所にみられる（1条1項、3条1項、3条2項および35条2項）。近代民法の基本理念は、個人の尊厳を重んじ（個人主義）、人の「意思」による権利義務を基盤とする自由な経済活動を支援し（自由主義）、経済活動に参加する機会の平等を保障する（平等主義）ことである。この点からも近代市民社会における私権の絶対性は当然のこととされている（わが国の民法典の歴史については→5頁）。ところが、民法典の制定後、経済の発展にあわせて市民間にも経済的または社会的な格差が生まれ、常に私権の絶対性が優先されるべきではない事象も現れるようになった。

　第二次世界大戦後の昭和22年（1947年）に民法改正が行われ、親族と相続を定める第4編と第5編が改められることになった。この改正は、日本国憲法の

施行（昭和22年 5 月 3 日）にともない、民法の規定をこれに適合させる必要があったために行われたものである。そして、この改正にあわせて、基本原則としての 1 条と解釈の基準としての 1 条の 2 が民法典の冒頭に挿入されることになり、平成16年（2004年）の民法現代語化の際に、それぞれ現在の 1 条と 2 条とされている。そこで、本章では、 1 条各項に定める内容を説明し、これらの原則が、どのような形で私法上の権利の行使に対する制約を課しているのかを明らかにしたい。

Ⅱ　公共の福祉による制限

　私権は公共の福祉に適合しなければならない（ 1 条 1 項）。「適合する」の意味については諸説分かれているが、さしあたり、私権は公共の福祉と「ともに存する」の意味で理解すればよいだろう。公共の利益、例えば、国家自体の利益や共同体社会に共通する利益との関係では、個人の自由その他の権利は、一定の制約を受けることになる。したがって、公共の福祉に反するのであれば、私権の内容およびその行使は、その効力を認めることができない。

　判例には、発電用ダムの建設によって河川の流水が減少したため、周辺住民が河川使用権を有するとして確認を求めた事案において、当該住民の居住地域の河川使用権を認めたものの、その上流地域の河川使用権を認めなかった控訴審判決を支持し、公共の福祉に基づく制限を認めたものがある（最判昭和25・12・ 1 民集 4 巻12号625頁）。

　上に述べたように、 1 条 1 項が日本国憲法との関連で民法典に挿入された経緯から、 1 条 1 項は憲法上の規定と深く関わりのある規定である。例えば、「財産権の内容は、公共の福祉に適合するように、法律でこれを定める」（憲法29条 2 項）とあるように、 1 条 1 項は、憲法上の規定を確認したものと捉えることができる。もっとも、公共の福祉を理由として権利を制限することには慎重でなければならない。そもそも公共の福祉をめぐる問題は、公共の福祉に基づく権利の制限によって一方の当事者のみが有利になるおそれがある上に、個人の自由その他の権利を安易に害する可能性をはらむものである。したがって、公共の福祉に基づいて権利を制限するのであれば、これを正当化する根拠

第 8 章　私権の行使に対する制限　**209**

を明確にしなければならない。実際には、私法上の権利の内容や、これを行使することが社会性に反しないかどうかといった法的な判断には、後述する信義則や権利濫用の禁止が用いられることが多い。

　信義則に関する規定（1条2項）も権利濫用の禁止に関する規定（1条3項）も、1条1項と同じく昭和22年（1947年）の民法改正によって民法典に挿入されたものではあるが、1条1項とは異なり、既に判例や学説を通じて認められてきた信義則や権利濫用の禁止が明文化された点に留意する必要がある。そこで、以下では、これらの規定についてみていくことにしよう。

Ⅲ　信義則 (信義誠実の原則)

1　信義則とは

　例えば、ある物品の売主が、買主との間でいつの時点にその物品を配達するかを決めていなかったとしても、買主が売主に深夜の配達を求めることが許されるとは思えない。もちろん、もともと売主がそうしたサービスを提供していたのであればともかく、一般的にはおよそ認められるものではない。人は、社会生活を営む中でお互いに相手方の信頼を裏切らないように、誠実なふるまいをもって行動しなければならない。

　1条2項は「権利の行使及び義務の履行は、信義に従い誠実に行われなければならない」と定めており、この原則を「信義誠実の原則」という。あるいは単にこれを「信義則」と呼ぶこともある。

2　信義則が問題とされる場面

　信義則は、次のような場面で具体化されている。

(1)　行動準則としての信義則

　まず、信義則は、権利の行使や義務の履行にあたって要求される行動準則として機能している。例えば、さきに挙げた例では、履行期が特に定められていない場合であっても、債務者は深夜に履行の提供をすべきではない。平成29年

（2017年）の民法改正により、「法令又は慣習により取引時間の定めがあるときは、その取引時間内に限り、弁済をし、又は弁済の請求をすることができる」との規定が新設され（484条2項）、信義則のこうした具体化を条文で示したものと考えることができる。

　他方、債務の履行を受ける債権者にも誠実な態度が求められている。例えば、金銭債務において債務者の支払う弁済額が不足していた場合でも、その不足額がわずかな場合であれば、債権者が受領を拒絶し、債務者の債務不履行責任を追及することが信義則に反すると判断されることもある。判例は、債務者Xが元金1万円のうち9,900円を弁済し、残りの100円についても弁済の準備を整えた上で債権者Yに債権証書の引渡しと抵当権登記の抹消を求めたところ、Yが残金と利息分が不足するとしてこれを拒絶した場合について、このようなYの拒絶が信義則に反するとした（大判昭和9・2・26民集13巻366頁）。

　もっとも、信義則に反するかどうかは、債権者が金額を債務者に正確に伝えなかった場合のように、不足額が生じた事情、債権者が提供を受けた際に不足額に気づいていたのにそれを債務者に指摘しなかった場合のように、当事者の行為や態様における誠実さの程度など、債権者・債務者双方の事情を総合勘案して判断されるべきものである。

(2)　不誠実な行為による地位の取得等への防止

　不誠実な行為によって取得した地位を主張したり、そのような行為によって相手方に有利な権利ないし地位が生じるのを妨げたりすることは、信義則に反する。

　判例は、労働金庫が組合員以外の者に貸し付ける行為は無効であるが、当該貸付を受けて抵当権を設定した当の本人（組合員以外の者）が、自らが設定した抵当権に基づいてなされた競売の競落人に対して、当該貸付が無効であり、抵当権ないしその実行手続が無効であると主張することは信義則上許されないとした（最判昭和44・7・4民集23巻8号1347頁）。これは「クリーン・ハンズの原則」（自ら法を尊重する者だけが法の尊重を要求することができる、という原則）と呼ばれている。

⑶ 先行行為との矛盾に対する制裁

　権利の行使または法的地位の主張が、先行行為（⑵と異なって、「不誠実」と判断されるものであることを必要としない）と矛盾する場合も信義則に反する。もっとも、信義則に反するかどうかは、先行行為の内容や、その際の行為者の主観的な態様、矛盾行為により不利益を被る者の先行行為に対する信頼などの事情が総合勘案して判断されることになる。

　判例には、消滅時効の完成後の債務の承認は、時効による債務の消滅と相容れない行為であるとして、時効完成後に債務を承認した者が時効を援用するのは信義則に反するとしたものがある（時効の援用については→第6章Ⅴ）。また、無権代理人が本人を相続した場合に、無権代理人が本人の資格で追認を拒絶することは、自らが行った無権代理行為と相容れない行為であり、信義則に反するとしたものがある（無権代理については→第5章Ⅲ）。

　このほかにも、信義則が具体的に適用される場面は多い。例えば、売買契約における所有権移転義務や代金支払義務を実現するために、これらの義務に付随して生じる義務（付随義務）や、給付の実現とは別個に契約関係に入った当事者は相手方の生命・身体・所有権その他の財産的利益を侵害しないように注意する保護義務、177条における背信的悪意者排除論、612条2項における信頼関係破壊法理などがその典型例である。

Ⅳ　権利濫用の禁止

1　権利濫用とは

　権利濫用とは、形式的には権利の行使とみられるが、その具体的な事情を考慮すると、権利の社会性に反し、正当な権利行使と認められない行為のことをいう。例えば、所有者が自己所有の土地や建物に大量のゴミを放置し、近所に悪臭をまきちらしている場合のように、所有者だからといって自らの所有地の上で何をしてもよいというわけではない。権利濫用であると判断されれば、権利の行使が制約される（1条3項）。

　どのような基準をもって権利の行使が濫用されているといえるのだろうか。

一般に、権利を行使する際の加害目的や加害の意図といった権利者の主観的要件だけでは足りない。これに加えて、権利の行使によって権利者に生じる利益と相手方または社会全体に与える損害との比較衡量といった客観的要件を通じて、総合的に判断される。

判例は、温泉を引くための引湯管が他人の土地をほんのわずかに通って敷設されているのに目をつけたXが、その土地を買い受けて、温泉を経営するYに対して、周辺の土地とともに高額で買い受けるように迫り、それが断られると、引湯管の撤去を請求したという事案で、Xの被害は僅少で、他方、引湯管の撤去は著しく困難でかつ莫大な費用を要するから、Xの請求は「社会観念上、所有権の目的に違背し、其の機能として許さるべき範囲を超脱するもの」であり、権利濫用であるとしている（大判昭和10・10・5民集14巻1965頁〔宇奈月温泉事件〕）。また、権限濫用か否かの判断にあたっては、公共の利益も考慮される。判例には、土地の賃貸人からの飛行場敷地返還請求を権利濫用としたものがある（最判昭和40・3・9民集19巻2号233頁〔板付基地事件〕）。もっとも、学説には「権利濫用の濫用」という批判もあるように、権利濫用の有無の判断にあたっては慎重に対処する必要がある。

なお、信義則が権利の行使・義務の履行について適用されるのに対して、権利濫用の禁止は権利の行使についてのみ適用されるが、両者の適用領域は厳密に区別されているわけではなく、判例上、両者が同時に用いられていることも少なくない。

2 権利濫用とされた場合の効果

権利の行使が濫用されているといえる場合には、権利の行使が阻止されるほか、その行為が不法行為（709条）を構成する場合には、損害賠償責任を発生させることもある。判例は、汽車の煤煙によって松の木が枯死したため、所有者が鉄道員に損害賠償を請求した場合に、権利の行使が社会通念上被害者において忍容すべきもの一般に認められる程度を超えたときは、権利行使の適当な範囲とはいえず、不法行為になるとしている（大判大正8・3・3民録25輯356頁〔信玄公旗掛松事件〕）。また、自己所有地上での建物の建築が隣地住民の日照を妨害するものとして権利濫用とされたときに、隣地住民の日照妨害を理由とす

第8章 私権の行使に対する制限 **213**

る損害賠償請求を認めている（最判昭和47・6・27民集26巻5号1067頁）。

　なお、権利濫用とされることによって否定されるのは、権利者による権利の「行使」であって、権利者にその権利が帰属することが否定されるわけではない。例えば、土地所有者からその土地の無権限の使用者に対する土地明渡請求が権利濫用とされる場合でも、土地所有者がその土地の所有権を失うわけではない。土地所有者は、無権限使用者に対し、不当利得（703条）または不法行為を理由として賃料相当額の支払を求めることができる。判例は、YがAから土地を賃借し、この土地上に建物を所有していたところ、この土地をAから買い受けたXが、Yに対して建物収去土地明渡請求をし、この請求が権利濫用であると判断された場合に、このことによってYの土地占有は適法な占有になるわけではないとして、XのYに対する賃料相当額の損害賠償請求を認めている（最判昭和43・9・3民集22巻9号1767頁）。

第9章

民法の基本原則と現代的課題

　これまでに説明してきた民法の諸々の制度を用いる際に、その前提となる準則（ルール）として、民法にはいくつかの基本原則が存在する。例えば、売主Ａと買主Ｂがある物品の売買をめぐって契約を締結する場面や、Ｂがその代金を支払わないのでＡが代金の支払を求めて裁判の場で訴えて、これが争われる場面において、そうした原則が遵守されている。わが国の民法典には民法の基本原則について正面からこれを認めた規定はさほど多くない。しかし、近代市民社会において生成された民法の基本原則は、今日においてもなお重要な役割を果たしている。その一方で、民法の基本原則は、いくつかの例外を設けることでその修正を余儀なくされている。

　ところで、民法典が制定されてから既に100年以上の歴史が積み重ねられてきた。情報技術の進歩や社会構造の変化により、民法における法理論や法概念に新たな課題が生じ、そうした時代の流れや社会の動きに対して、民法が今後どのように対応すべきかが問われている。この点についても簡単に触れることにしたい。

Ⅰ　民法の基本原則 （私的自治）

　民法の基本原則と呼ぶべきものとして、まずは私的自治の原則を挙げることができる。今日、人々は、互いに対等な関係であることを前提として、国家が例外的な場合に介入する場合を除き、自らの自由な意思決定によって法律関係を形成することができる。これは、近代市民社会の成立後、各国の民法典が制

定されたことと無関係ではない。例えば、「人は、公序良俗に反することがないように」といった一定の制約を除けば、自らの意思決定に基づいて相手方と自由に契約内容を定めることができる。これを「自己決定の原則」という。その一方で、自らの自由な意思決定によって法律関係を形成するのであるから、人々は、その意思決定に基づく責任を負わなければならない。これを「自己責任の原則」という。これらの原則が私法では一般に「私的自治の原則」と呼ばれている。そして、私的自治の原則から、次のような4つの原則を導くことができる。

1 権利能力の平等

権利能力とは、人（自然人および法人）が私法上の権利や義務の帰属主体となることができる資格をいう（→74頁）。

私権の享有は出生に始まる（3条1項）。これは、誰でも出生の時から「平等に」物権（所有権など）や債権といった私権、すなわち私法上の権利の帰属主体となって、完全な権利能力を有することを意味する（なお、誰でも死亡の時まで等しくこれを有すると解されている。882条および896条参照）。そして、ここでいう「平等」とは、人間であれば身分や性別、年齢などによって差別されることなく権利能力が等しく認められることをいい、これを「権利能力平等の原則」という。

このような理念は、かつて奴隷制度下で人間が物として売買されていた時代を思い起こせば、その重要性は明らかである。また、そうした過去の事象のみならず、現在もなお人身売買のような法的地位や権利能力の不平等な取扱いが皆無とはいえない現状に鑑みれば、権利能力平等の原則を強調することが無意味であるとはいえない。むしろ、そうした理念の存在を普遍的に確認し、主張し続けることがより社会の安定化につながるといえる。

もっとも、外国人の権利能力については、こうした原則が法令や条約の規定によって制限される場合がある（3条2項参照）。例えば、外国人は、特許権の取得（特許法25条）や著作権の取得（著作権法6条）について制限を受けることがある。詳細は第4章Ⅱを参照してほしい。

2 所有権絶対の原則

　所有権絶対の原則は、物権法の重要な原則である（→ NBS 物権法139頁）。物権法で認められている諸々の権利は、すべて所有権を基礎として認められている。

　所有権は、目的物を直接に支配し、自由に使用し、収益し、または処分することを可能とする（206条）。例えば、BがAからある物の所有権を取得したとする。このとき、BがCにこれを処分することをB以外の者が禁止することはできない。その物の前主であるAが、その物を譲渡する際に契約でその物の処分を禁止していたとしても、所有権はCに移転する。つまり、Bは完全で自由な所有権を取得したのであるから、Bによるそのような処分もCの所有権の取得も制限を受けることはない。

　もっとも、条文には「法令の制限内において」と規定されているように（206条）、建築基準法や道路法、都市計画法など、数多くの行政法規によって所有権絶対の原則は一定の制限を受けている。このほかにも、相隣関係に関する規定（209条以下）や、マンションの所有関係について定める「建物の区分所有等に関する法律」といった特別法によって、この原則は制限されている。

　さらに、相続の場面において、被相続人の死亡後、相続登記がされないまま所有者が不明となっている土地の多くが相続人による共有（→ NBS 物権法156頁）の状態であることをふまえて、令和3年（2021年）の民法改正（令和5年（2023年）4月1日施行）では、裁判所の関与の下で、不明共有者以外の共有者の同意で共有物を変更し（251条2項）、またはこれを管理する（252条2項以下、252条の2第2項）ことを可能にする制度が新設された。共有者の一部が不明または所在不明であるために、共有財産の適切な管理や積極的な利用がなされない事例がみられることから、不明共有者の所有権が制限されているのである。

　なお、AB間の契約で、Bがその物を譲渡することが禁止されていたにもかかわらず、Bが契約に違反してCに譲渡したのであれば、Aに対する契約違反に基づく責任、例えば損害賠償責任を負うことはある。しかし、これは債権法における問題であって、所有権絶対の原則とは別の問題であることに注意する必要がある。

3　契約自由の原則

　私的自治の原則は、とりわけ契約法における重要な原則である。特に法律による禁止がない限り、人が自由に法的な行為をしてもよく、またそうした行為によって形成された効果が法律によって保護されることをいう。これを「契約自由の原則」という。具体的には、①契約締結の自由（契約を締結するか否か）、②相手方選択の自由（どのような相手方と契約を締結するか）、③内容決定の自由（どのような契約内容にするか）、④方式の自由（口頭によるのか文書によるのか）といった自由が認められている。

　平成29年（2017年）の民法改正において新設された521条には、「何人も、法令に特別の定めがある場合を除き、契約をするかどうかを自由に決定することができる」（1項）とされ、また、「契約の当事者は、法令の制限内において、契約の内容を自由に決定することができる」（2項）とされている。前者については契約締結の自由を、後者については内容決定の自由をそれぞれ明文化したものである。さらに、522条2項に「契約の成立には、法令に特別の定めがある場合を除き、書面の作成その他の方式を具備することを要しない」と規定されており、方式の自由が明文化されている。なお、契約自由の原則は、債権を生じさせる契約に関する原則であることから、債権法の重要な原則のひとつでもある。

　他方、この原則が無制限に認められることはなく、「法令に特別の定めがある場合を除き」（521条1項、522条2項）または「法令の制限内において」（521条2項）といった一定の制限を受けることになる。例えば、保証契約（446条2項、3項）の成立には一定の方式を備えていることが求められているが、これは方式の自由の例外と位置づけることができる。

　このほかにも、消費者契約に認められているいわゆる「クーリング・オフ」と呼ばれる撤回権は、一度契約を締結する「自己決定」をしたにもかかわらず、後でこれを取り消すことになるから、契約自由の原則の例外として認められている。また、労働者保護を目的とした労働法などの特別法による規制も、契約自由の原則の例外として機能している（→NBS契約法第2章）。

4 過失責任の原則

過失責任の原則は、不法行為法において典型的に現れる重要な原則である。これは、故意または過失によって損害を発生させた場合を除いて、人が他人に損害賠償義務を負担することはない、ということを示している。

例えば、損害賠償を請求するには、加害者の故意または過失が必要とされる（709条）。仮に人に損害が生じたとしても、それが（天災などのような）不可抗力に基づくならば、その人が損害賠償を他人に求めることによって、その損害を転嫁することはできない。また、加害者に帰責事由があるというためには、その責任能力が必要とされている（712条、713条）。これらの点は、すべて不法行為に関係するものであるが、その背景には過失責任の原則が基礎となっている点が重要である。

他方、この原則にも例外として、製造物責任法や原子力損害賠償法のように、故意または過失の有無を問わず責任を負わなければならない無過失責任が認められている場合もあり、必ずしもこうした原則が常に貫徹されているわけではない。なお、415条1項における債務者の責めに帰することができない事由と過失責任の原則との関係については、学説上、争いがある。

II 民法の現代的課題

これまでに説明したこととの関係で、現在の民法にみられる重要な法理とその動きについて説明することにしよう。これらはいわば「民法の現代的展開」と呼ぶべき事象である。すなわち、Iで述べた諸々の基本原則といえるほど熟してはいないものの、民法の新たな基本原理として考えることができるものがある。

1 権利外観法理

94条2項によれば、相手方として通じてした虚偽の意思表示の無効は善意の第三者に対抗することができない。この文言の趣旨は、意思表示の存在という虚偽の外観を自ら関与して生じさせた者は、その意思表示が有効であると信じ

て行動した第三者に対して、その意思表示が虚偽であると主張できない、ということである。つまり、権利者自身の帰責性によって虚偽の外観が作出されたときは、権利者の犠牲の下でその外観を信頼した第三者を保護することになる。しかし、既に第2章で説明したように、本人が虚偽の外観を意図的に作出した場合以外でも、94条2項の類推適用を用いて、その外観を信頼して取引を行った第三者の保護を図ろうとする判例がみられ、その範囲も拡大されつつある（→第2章Ⅱ3(3)）。

また、110条によれば、同条が適用されるためには、取引の相手方に、取引時点で代理人が権限の範囲内で行動したと信じたことについて正当な理由があったことを要する（同じく正当な理由を要するものとして、109条2項、112条2項）。これは、新たに取引に入った者が、虚偽の外観に対して有した正当な信頼を要求したものといわれている（109条1項ただし書や112条1項ただし書が相手方の無過失を要求するのも同様の趣旨に基づくものである）。これらは、いわゆる「権利外観法理」に基づくものである（→第5章Ⅳ3）。

以上のように、当事者間で形成された法律関係に対して、新たに第三者が取引に関与することになった場合に、そのような第三者を保護するために第三者に一定の事由・主観的要件を求めるのは、近代民法にみられる特徴でもある。したがって、ある種の基本原則とでもいうべき事象を認めることができるのである。

2　「人」概念の具体化

消費者保護の動きも、詐欺や強迫といった民法に定められた規範に加えて、誤認惹起等の規律が消費者契約法に認められている。消費者契約法では、消費者は、民法総則に定める基本概念としての抽象的な「人」概念が、より具体化されている。このような背景には、「法の社会化」と呼ぶべき事象が生じていることの現れである。

もっとも、そうした「人」概念の具体化は、消費者保護の領域に限られるものではない。例えば、コンビニエンスストアのフランチャイズ事業のように、店舗経営者である一個人が、フランチャイズ契約の相手方である本部からノウハウ等の提供を受けて事業を営む場合には、形式的には事業者同士の契約とな

るが、さまざまな現代的スキームが構築される複雑な取引社会において、当事者間の対等な関係が形成されているかどうか、微妙なケースが少なくない。

また、情報通信技術（ICT）の著しい進歩によって、インターネット上のオークションサイトやフリマアプリ等のデジタルプラットフォームを通じて個人間で売買が行われることもあり、さらに、そうした取引は国内に限らず国境を越えて行われることもある。このような取引における当事者が事業者であるとは限らず、消費者が売主（出品者）となって登場する場面も多い。このとき、売主と買主がともに消費者である場合において、両者を対等な地位にある契約当事者と捉えて従来の売買契約と同様の規律を用いて対応することで足りるのか、検討する余地があるだろう。

3　民法の国際化

最後に、民法の国際化について触れることにしたい。本来、民法は日本国内の民事事件を対象として規律されるものであって、民法典に定める諸々の規定も、当然そのような実務上の事情を考慮した上で定められている。その限りでは、民法の「国際化」という表現に違和感を生じる人もいることだろう。平成29年（2017年）の民法改正でみられた一連の起草プロセスでは、一部の規律については、フランスやドイツをはじめとする諸外国の規定を参考にしつつ、新たな規律が導入された経緯がある。しかし、そうした外国法を参照することの意義については、これまで十分に意識されることがないままに、改正作業がすすめられた印象を受ける。

わが国の民法典も、かつてはさまざまな国家の法典・法律を参照して起草されてきた。そして、今日においても、その時点での参照にとどまらず、常に諸外国の動向について目を配りながら、わが国の民法にとって適切な規律を検討する上での重要なバックグラウンドとなっているのである。そのような流れにおいて、上記の改正作業では、諸外国の動きに則った新たな規律が設けられることとなっており、必然的にわが国の民法典も、そうした国際化の潮流にのっていることになるのである。

また、衣服のタグや食料品のラベルに、製造国として「Made in ○○」の「○○」が日本以外の国名であるのを目にすることもあるだろう。さまざまな

国の人や企業が日本との間で取引をする場面も、国際化の流れの中、いっそう増えることになる。そうすると、日本の民法だけではなく、外国の法律がどのように規定されているのか、両者の調整をどのようにするのかといった点を考える必要が生まれるだろう。

したがって、民法で認められている諸々の制度は、単なる外国からの法の継受にとどまるものではない。わが国で築き上げられてきた民法理論もまた、諸外国の法理論の展開に寄与するものであると考えることができるし、また、そうであることが望ましい。その意味で、民法のダイナミックな動きもまた国際化の潮流の影響を受けていると考えることは、あながち不毛な議論であるとはいえないだろう。時の流れとともに国際化の流れを読み取り、母国の民法典の位置づけを確認することもまた、民法を学習するにあたって重要なファクターであるといえる。

事項索引

あ

悪意……………………………… **27**
意思欠缺錯誤…………………… **33**
意思主義………………………… **20**
意思能力………………… **85, 97**
意思の欠缺……………………… **23**
意思の不存在……………… **23, 114**
意思表示………………………… **17**
　──の受領能力……… **50, 86, 94, 98**
意思無能力者…………………… **86**
一般債権者……………………… **173**
一般法…………………………… **11**
一般法人法の制定……………… **183**
委任状………………… **117, 137**
印鑑証明書……………………… **117**
営利法人………………………… **186**
援用権者の範囲………………… **171**

か

害意……………………………… **27**
解除条件………………………… **59**
改良行為………………………… **120**
学説……………………………… **9**
拡張解釈………………………… **7**
確定期限………………………… **61**
瑕疵ある意思表示………… **23, 113**
果実……………………………… **106**
過失責任の原則………………… **219**
家族法…………………………… **12**
仮差押え等による時効の完成猶予…… **169**
仮登記………………… **59, 60**
慣習……………………………… **52**
完成猶予（時効の）……… **157, 159**
管理行為………………………… **120**
期間……………………………… **177**
期限……………………………… **60**
期限の利益……………………… **61**

──喪失約款……………………… **62**
──の喪失………………………… **62**
──の放棄………………………… **61**
起算点…………………………… **150**
擬制する………………………… **78**
基礎事情錯誤……………… **33, 35**
期待権…………………………… **59**
基本代理権……………………… **139**
欺罔行為………………………… **43**
客観的起算点…………………… **151**
休眠法人………………………… **190**
協議を行う旨の合意による時効の完成猶予
　………………………………… **163**
強行規定………………………… **52**
強制執行等による時効の完成猶予および更
　新……………………………… **167**
行政的取締規定違反…………… **57**
強迫………………… **46, 113**
業務執行機関…………………… **198**
虚偽表示　→　通謀虚偽表示
居所……………………………… **80**
契約……………………………… **18**
　──の解釈……………………… **51**
　──の拘束力…………………… **19**
契約自由の原則…………… **20, 218**
権限外の行為の表見代理……… **139**
原始取得………………………… **149**
原状回復義務…………………… **68**
元物（げんぶつ）……………… **106**
顕名……………………………… **112**
権利外観法理……………… **31, 219**
権利能力………………… **74, 80**
　──の平等……………………… **216**
　──平等の原則………………… **75**
権利の主体……………………… **73**
権利濫用の禁止………………… **212**
行為能力………………………… **88**
公益法人………………………… **187**

223

効果‥‥‥‥‥‥‥‥‥‥‥‥‥‥ **2**
効果意思 → 内心的効果意思
公共の福祉による制限‥‥‥‥‥‥ **209**
後見‥‥‥‥‥‥‥‥‥‥‥‥‥‥ **96**
　　——開始の審判‥‥‥‥‥‥‥ **94**
　　——開始の審判の取消し‥‥‥ **96**
公序良俗違反‥‥‥‥‥‥‥‥‥‥ **55**
更新（時効の）‥‥‥‥‥‥ **157, 160**
合同行為‥‥‥‥‥‥‥‥‥‥‥‥ **19**
公法‥‥‥‥‥‥‥‥‥‥‥‥‥‥ **10**
公法人‥‥‥‥‥‥‥‥‥‥‥‥ **186**

さ

債権の消滅時効‥‥‥‥‥‥‥‥ **151**
催告による時効の完成猶予‥‥‥‥ **162**
財産法‥‥‥‥‥‥‥‥‥‥‥‥ **13**
財団法人‥‥‥‥‥‥‥‥‥‥‥ **188**
裁判上の請求等による時効の完成猶予およ
　び更新‥‥‥‥‥‥‥‥‥‥‥ **165**
詐欺‥‥‥‥‥‥‥‥‥‥‥‥ **41, 113**
　　第三者による——‥‥‥‥‥ **45**
錯誤‥‥‥‥‥‥‥‥‥‥‥‥ **33, 113**
差押え‥‥‥‥‥‥‥‥‥‥ **168, 182**
詐術‥‥‥‥‥‥‥‥‥‥‥‥‥ **104**
資格併存説と資格融合説‥‥‥‥ **133**
始期‥‥‥‥‥‥‥‥‥‥‥‥‥ **61**
私権‥‥‥‥‥‥‥‥‥‥‥‥‥ **208**
時効‥‥‥‥‥‥‥‥‥‥‥‥‥ **143**
　　——完成後の自認行為‥‥‥ **176**
　　——完成前の放棄の禁止‥‥‥ **175**
　　——の援用‥‥‥‥‥‥ **145, 171**
　　——の完成‥‥‥‥‥‥‥‥ **145**
　　——の完成猶予‥‥‥‥ **157, 158**
　　——の更新‥‥‥‥‥‥ **157, 158**
　　——の遡及効‥‥‥‥‥‥‥ **150**
　　——利益の放棄‥‥‥‥ **145, 175**
自己契約‥‥‥‥‥‥‥‥‥‥‥ **120**
使者‥‥‥‥‥‥‥‥‥‥‥‥‥ **113**
自主占有‥‥‥‥‥‥‥‥‥‥‥ **147**
自然人‥‥‥‥‥‥‥‥‥‥‥‥ **73**
実印‥‥‥‥‥‥‥‥‥‥‥‥‥ **117**
失踪宣告‥‥‥‥‥‥‥‥‥‥‥ **79**

——における死亡擬制時‥‥‥‥‥ **81**
——の取消し‥‥‥‥‥‥‥‥‥ **83**
実体法‥‥‥‥‥‥‥‥‥‥‥‥ **12**
私的自治の原則‥‥‥‥‥‥ **20, 108**
私法‥‥‥‥‥‥‥‥‥‥‥‥‥ **10**
私法人‥‥‥‥‥‥‥‥‥‥‥‥ **186**
社員総会‥‥‥‥‥‥‥‥‥‥‥ **197**
社団法人‥‥‥‥‥‥‥‥‥‥‥ **188**
終期‥‥‥‥‥‥‥‥‥‥‥‥‥ **61**
住所‥‥‥‥‥‥‥‥‥‥‥‥‥ **80**
重大な過失‥‥‥‥‥‥‥‥‥‥ **38**
従物‥‥‥‥‥‥‥‥‥‥‥‥‥ **105**
主観的起算点‥‥‥‥‥‥‥‥‥ **151**
主張責任‥‥‥‥‥‥‥‥‥‥‥ **4**
出費の節約‥‥‥‥‥‥‥‥‥‥ **69**
受働代理‥‥‥‥‥‥‥‥‥‥‥ **115**
取得時効‥‥‥‥‥‥‥‥ **144, 146**
主物‥‥‥‥‥‥‥‥‥‥‥‥‥ **105**
準則主義‥‥‥‥‥‥‥‥‥‥‥ **195**
条件‥‥‥‥‥‥‥‥‥‥‥‥‥ **58**
条件成就の擬制‥‥‥‥‥‥‥‥ **60**
条件不成就の擬制‥‥‥‥‥‥‥ **60**
承認による時効の更新‥‥‥‥‥ **160**
消費者契約法‥‥‥‥‥‥‥‥‥ **44**
情報提供義務‥‥‥‥‥‥‥‥‥ **43**
証明責任‥‥‥‥‥‥‥‥‥‥‥ **4**
消滅時効‥‥‥‥‥‥‥‥‥‥‥ **144**
　　——の完成‥‥‥‥‥‥‥‥ **150**
条理‥‥‥‥‥‥‥‥‥‥‥‥‥ **52**
除斥期間‥‥‥‥‥‥‥‥‥‥‥ **153**
初日不算入の原則‥‥‥‥‥ **151, 177**
所有権絶対の原則‥‥‥‥‥‥‥ **217**
事理弁識能力‥‥‥‥‥‥ **94, 95, 97**
信義則（信義誠実の原則）‥‥‥ **210**
親権者‥‥‥‥‥‥‥‥‥‥‥‥ **91**
親族法‥‥‥‥‥‥‥‥‥‥‥‥ **13**
心裡留保‥‥‥‥‥‥‥‥‥ **24, 113**
推定する‥‥‥‥‥‥‥‥‥‥‥ **78**
制限解釈‥‥‥‥‥‥‥‥‥‥‥ **7**
制限行為能力者‥‥‥‥‥‥ **88, 131**
　　——の催告権‥‥‥‥‥‥‥ **103**
成年‥‥‥‥‥‥‥‥‥‥‥‥‥ **91**
成年後見‥‥‥‥‥‥‥‥‥‥‥ **94**

——監督人……………………… **96**
——制度………………………… **94**
——人…………………… **96, 100**
成年被後見人…………………… **96**
——の行為能力………………… **97**
絶対的無効……………………… **64**
善意…………………………… **26, 29**
相続財産に関する時効の完成猶予… **169**
相続法…………………………… **13**
相対的無効……………………… **64**
相当の期間……………………… **127**
双方代理………………………… **120**
総有……………………………… **192**
遡及効…………… **41, 68, 83, 127, 157**

た

第三者
　94条2項の——………………… **29**
　取消しと——…………………… **47**
第三取得者……………………… **173**
胎児……………………………… **75**
代表……………………………… **110**
代表権…………………………… **198**
代理……………………………… **107**
——の「外部関係」…………… **112**
——の「内部関係」…………… **112**
代理権…………… **92, 100, 112, 116**
——授与の表示による表見代理… **136**
——消滅後の表見代理………… **141**
——の消滅原因………………… **141**
——付与の審判………………… **100**
——濫用………………………… **125**
代理行為の瑕疵………………… **114**
代理人…………………………… **107**
——の能力……………………… **115**
他主占有………………………… **147**
短期消滅時効の廃止…………… **156**
団体設立自由の原則…………… **184**
単独行為………………………… **19**
追認…………………………… **69, 132**
——権…………………… **90, 92, 100**
——不可分説と可分説………… **134**

通説……………………………… **9**
通謀虚偽表示………………… **27, 113**
定款……………………………… **194**
定期金債権の消滅時効………… **155**
停止条件………………………… **59**
抵当不動産の後順位抵当権者…… **173**
手続法…………………………… **12**
天災等に関する時効の完成猶予…… **169**
天然果実………………………… **106**
同意権…………………… **90, 92, 100**
——付与の審判……………… **99, 101**
動機……………………………… **22**
——の不法……………………… **56**
動産……………………………… **105**
同時死亡の推定………………… **76**
到達主義………………………… **49**
特別失踪
——における死亡擬制時……… **82**
——の要件……………………… **80**
特別法…………………………… **11**
取消（し）…………………… **62, 67**
——可能な行為………………… **90**
——権…………………… **90, 92, 100**
——権者………………………… **67**
——権の行使期間……………… **70**
——的無効……………………… **65**

な

内心的効果意思………………… **22**
内容の確定性………………… **53, 54**
内容の適法性・社会的妥当性… **53, 55**
二重効…………………………… **64**
二段の故意……………………… **44**
任意規定………………………… **52**
任意後見……………………… **101, 111**
任意代理……………………… **110, 117**
——における復任……………… **122**
能働代理………………………… **115**

は

白紙委任状……………………… **137**

225

判決等で確定した権利の消滅時効……**156**
パンデクテン体系……**15**
判例……**8**
非営利法人……**186**
人……**73**
「人」概念の具体化……**220**
人の生命または身体の侵害による損害賠償
　請求権の消滅時効……**154**
被保佐人……**96**
　──の行為能力……**99**
被補助人……**96**
　──の行為能力……**99**
表見代理……**135**
表示意思……**22**
表示行為……**22**
表示主義……**20**
夫婦間の権利に関する時効の完成猶予……**169**
不確定期限……**61**
復代理……**121**
　──の効果……**123**
復任……**121**
不在者……**80**
不審事由……**141**
普通失踪
　──における死亡擬制時……**82**
　──の要件……**79**
物上保証人……**173**
不動産……**105**
不動産登記……**28**
不法行為による損害賠償請求権の消滅時効
……**152**
法人……**73, 109, 110**
　──の解散……**203**
　──の機関……**196**
　──の清算……**205**
　──の能力……**201**
　──の能力についての「目的」による制
　限……**202**
　──の不法行為……**202**
法人格のない財団……**191**
法人格のない社団……**191**
法人格否認の法理……**191**
法人法定主義……**184**

法定果実……**106**
法定代理……**109, 117**
　──における復任……**122**
法定代理人……**91**
法定追認……**69**
法の欠缺……**6**
暴利行為……**56**
法律関係……**14**
法律行為……**18**
法律効果……**18**
法律の解釈……**7**
法律要件……**19**
保佐……**96**
　──開始の審判……**94**
　──監督人……**96**
　──人……**96, 100**
補充的解釈……**52**
補助……**96**
　──開始の審判……**94**
　──監督人……**96**
　──人……**96, 100**
保存行為……**120**
本人……**107**

ま

未成年後見人……**91**
未成年者……**91**
　──の行為能力……**92**
未成年者または成年被後見人に関する時効
　の完成猶予……**169**
みなす……**78**
民法……**10**
　──の国際化……**221**
　──の歴史……**5**
民法上の組合……**193**
民法総則……**15**
無権代理……**125**
　──行為の相手方の取消権……**128**
　──行為の効果……**126**
　──行為の追認……**126**
　──と相続……**131**
　──人の責任……**129**

――の相手方の催告権‥‥‥‥‥‥ **127**

無効‥‥‥‥‥‥‥‥‥‥‥‥‥‥ **62, 64**

　　――行為の追認‥‥‥‥‥‥‥‥ **65**

　　――行為の転換‥‥‥‥‥‥‥‥ **65**

物（もの）‥‥‥‥‥‥‥‥‥‥‥ **105**

や

有権代理‥‥‥‥‥‥‥‥‥‥‥‥ **112**

有効要件（法律行為の）‥‥‥‥‥ **53**

有体物‥‥‥‥‥‥‥‥‥‥‥‥‥ **105**

要件‥‥‥‥‥‥‥‥‥‥‥‥‥‥‥ **2**

ら

利益相反行為‥‥‥‥‥‥‥‥‥‥ **120**

立証責任‥‥‥‥‥‥‥‥‥‥‥‥‥ **3**

利用行為‥‥‥‥‥‥‥‥‥‥‥‥ **120**

類推解釈‥‥‥‥‥‥‥‥‥‥‥‥‥ **7**

類推適用‥‥‥‥‥‥‥‥‥‥‥‥ **30**

　　94条2項――‥‥‥‥‥‥‥ **30, 219**

227

●著者紹介

原田昌和（はらだ・まさかず）
立教大学法学部教授
京都大学大学院法学研究科博士後期課程単位取得退学（2000年）
[第1章・第2章・第3章]

『リーガル・リサーチ＆リポート〔第2版〕』（共著、有斐閣、2019年）
『LEGAL QUEST 民法Ⅰ総則〔第2版補訂版〕』（共著、有斐閣、2020年）
など

寺川　永（てらかわ・よう）
関西大学法学部教授
一橋大学大学院法学研究科博士後期課程単位取得退学（2002年）
[第6章・第7章・第8章・第9章]

『基本講義消費者法〔第4版〕』（共著、日本評論社、2020年）
「消費者契約法と事業者的消費者」ジュリスト1558号（2021年）など

吉永一行（よしなが・かずゆき）
東北大学大学院法学研究科教授
京都大学大学院法学研究科博士後期課程単位取得退学（2003年）
[第4章・第5章]

「役務提供型契約法改正の挫折——法制審議会民法（債権関係）部会の議論の分析」産大法学48巻3＝4号合併号（2015年）
『法学部入門——はじめて法律を学ぶ人のための道案内〔第3版〕』（吉永（編）・共著、法律文化社、2020年）など

日本評論社ベーシック・シリーズ＝NBS

民法総則［第2版］
（みんぽうそうそく）

2017年9月25日第1版第1刷発行
2022年2月25日第2版第1刷発行

著　者―――――原田昌和・寺川　永・吉永一行
発行所―――――株式会社　日本評論社
　　　　　　　　〒170-8474　東京都豊島区南大塚3-12-4
電　話―――――03-3987-8621（販売）
振　替―――――00100-3-16
印　刷―――――精文堂印刷株式会社
製　本―――――株式会社難波製本
装　幀―――――図工ファイブ

検印省略　©M.Harada, Y.Terakawa, K.Yoshinaga 2022　　ISBN 978-4-535-80694-8

JCOPY　〈（社）出版者著作権管理機構　委託出版物〉本書の無断複写は著作権法上での例外を除き禁じられています。
複写される場合は、そのつど事前に、（社）出版者著作権管理機構（電話 03-5244-5088、FAX 03-5244-5089、
e-mail: info@jcopy.or.jp）の許諾を得てください。また、本書を代行業者等の第三者に依頼してスキャニング等の行
為によりデジタル化することは、個人の家庭内の利用であっても、一切認められておりません。

日本評論社の法律学習基本図書

日評ベーシック・シリーズ (NBS Nippyo Basic Series)

憲法 I 総論・統治[第2版]／**II** 人権[第2版]
新井 誠・曽我部真裕・佐々木くみ・横大道 聡[著] ●各2,090円

行政法 下山憲治・友岡史仁・筑紫圭一[著] ●1,980円

租税法 浅妻章如・酒井貴子[著] ●2,090円

民法総則[第2版]
原田昌和・寺川 永・吉永一行[著] ●1,980円

物権法[第3版] ※3月刊行予定 予価1,870円
秋山靖浩・伊藤栄寿・大場浩之・水津太郎[著]

担保物権法[第2版]
田髙寛貴・白石 大・鳥山泰志[著] ●1,870円

債権総論
石田 剛・荻野奈緒・齋藤由起[著] ●2,090円

契約法 松井和彦・岡本裕樹・都筑満雄[著] ●2,090円

事務管理・不当利得・不法行為
根本尚徳・林 誠司・若林三奈[著] ●2,090円

家族法[第3版]
本山 敦・青竹美佳・羽生香織・水野貴浩[著] ●1,980円

会社法 伊藤雄司・笠原武朗・得津 晶[著] ●1,980円

刑法 I 総論 **刑法 II** 各論
亀井源太郎・和田俊憲・佐藤拓磨 ●I:2,090円
小池信太郎・藪中 悠[著] II:2,200円

民事訴訟法
渡部美由紀・鶴田 滋・岡庭幹司[著] ●2,090円

刑事訴訟法 ※3月刊行予定
中島 宏・宮木康博・笹倉香奈[著] ●予価2,200円

労働法[第2版] ●2,090円
和田 肇・相澤美智子・緒方桂子・山川和義[著]

基本憲法 I 基本的人権
木下智史・伊藤 建[著] ●3,300円

基本行政法[第3版] 中原茂樹[著]
●3,740円

基本刑法
I 総論[第3版] II 各論[第2版] ●I=4,180円 ●II=4,290円
大塚裕史・十河太朗・塩谷 毅・豊田兼彦[著]

基本刑事訴訟法 ●各3,300円
I 手続理解編 II 論点理解編
吉開多一・緑 大輔・設楽あづさ・國井恒志[著]

憲法 I 基本権 II 総論・統治
渡辺康行・宍戸常寿・松本和彦・工藤達朗[著] ●各3,520円

スタートライン民法総論[第3版]
池田真朗[著] ●2,420円

スタートライン債権法[第7版]
池田真朗[著] ●2,640円

民法入門 債権総論[第4版]
森泉 章・鎌野邦樹[著] ●3,300円

〈新・判例ハンドブック〉 ●物権法:1,430円
憲法[第2版] 高橋和之[編] ほか:各1,540円

民法総則 河上正二・中舎寛樹[編著]

物権法 松岡久和・山野目章夫[編著]

債権法 I・II ●I:1,540円 ●II:1,650円
潮見佳男・山野目章夫・山本敬三・窪田充見[編著]

親族・相続 二宮周平・潮見佳男[編著]

刑法総論／各論 ●総論1,760円 ●各論1,650円
高橋則夫・十河太朗[編]

商法総則・商行為法・手形法
鳥山恭一・髙田晴仁[編著]

会社法 鳥山恭一・髙田晴仁[編著]

日本評論社
https://www.nippyo.co.jp/

※表示価格は消費税込みの価格です。